Les THIBAULT 4

チボー家の人々

美しい季節 II

ロジェ・マルタン・デュ・ガール

山内義雄＝訳

白水 u ブックス

チボー家の人々4　美しい季節Ⅱ　目次

七　フォンタナン夫人、夫に呼ばれてアムステルダムへ行く……5
八　ジャックとジェンニー。森の散歩。壁面のキス……34
九　ラシェルの部屋での日曜日。写真……70
十　メーゾン・ラフィットでのジェローム——ジェンニー、すべてを母に語る……94
十一　アントワーヌとラシェルと、映画館に行く。アフリカの映画——パクメルでの夕……111
十二　ジェローム、リネットに再会す……140
十三　アントワーヌとラシェルと、ゲ・ラ・ロジエールの墓地を訪れる……166
十四　ラシェルの出発——ル・アーヴルでの最後の一日——港口での別れ……198

解説（店村新次）……221

七

しののめは、湯気にくもった車窓の向こうに生まれかかっていた。フォンタナン夫人は、座を占めた片すみに身をちぢめながら、見るともなしに坦々としたオランダの牧場をながめていた。ゆうべ、パリに着くなり、夫人は、ジェロームからの二本めの電報のきているのを見いだした。イシノコトバニ、ノエミ、ゼツボウノヨシ。ヒトリニタエズ。オイデセツニネガウ。ツゴウツイタラカネタノム。彼女は、夜汽車の時間までに、ダニエルに会えなかった。そのかわり置き手紙を書いて、自分が出かけること、ジェンニーを頼むことなどを書き残した。

汽車がとまった。《ハールレム！》と、呼んでいる声が聞こえた。

それは、アムステルダムのひとつ手前の駅だった。車室の灯火《ともしび》が消された。まだ姿を見せない太陽は、空いっぱいを、ぼんやりした、さまざまな色を帯びた真珠色の白さで満たしていた。旅客はみんな目をさまし、動きまわり、外套をたたんでいた。フォンタナン夫人は、こうしたうつけたような気持ちを、少しでもそのままにしておきたいと思って、じっと身動きせずにいた。こうした気持ちこそ、彼女に、いま自分のやっている行為を、いくらかでもはっきり意識させないでくれるのだった。ノエミが死にかけている？　夫人は、われとわが心の中を読みとろうとした。自分はやきもちをやいているのだろうか？　そうではない。嫉妬、それは所帯を持ってからの最初の何年かのあいだ、とつぜん燃えあがっては自分をなめつくさずにいなかったあの炎のことなのだ。あのころの彼女は、いつも疑いつづけていた。明々白々なことさえ信じることができず、なんともたまらない、目にちらついてははなれない考えと戦いつづけていた。だが彼女は、もう久しいまえから、嫉妬といったようなものに苦しめられてはいなかった。彼女が苦しんでいたのは、それは自分にたいして正しくないことがなされているということだった。しかも彼女は、はたして苦しんでいたと言えるだろうか？　苦しみだったら、これまでにだってずいぶんたくさん知っていた。それに、これまでにやきもちやきだったりしたことがあるだろうか。彼女にとっての一番の苦しみは、自分のだまされていたことに、あとになって気がつくということだった。多くの場合、彼女は、ジェロームの相手の女たちにたいして、いささか見くだしたあわれみの気持ち、ちょうど軽はずみな妹たちにたいするのとおなじような、同情の気持ちをまじえたものを感じるにすぎなかった。

　皮ひものびじょうを締めにかかったとき、夫人の指はふるえていた。夫人は、一番あとで車からおりた。そして、身のまわりに、さっとすばやく、落ちつかない眼差しを投げたのだが、それを受けとめてくれるにちがいないと思っていた眼差しに出会うことがなかった。電報がつかなかったのかしら？　夫人は、おそらくふたつの目が自分をながめているにちがいないと思うと、かたくならずにはいられなかった。そして、いっしょについた旅客たちの列のあとから歩いて行った。

誰やら腕にさわったものがある。と、ジェロームが前に立っていた。心のうちではうれしかったのだろうがおろおろした目つき、帽子をかぶらない頭をなかばかしげ、顔はやせ、いささか肩をこごませていたが、あいかわらず彼らしい、東洋の貴公子といったような、たよりなさそうな優雅なようすを見せていた。よく来てくれた、とひとこと言うまもなく、旅客の波はふたりを突きのけた。だが夫は、優しいいたわりを見せながら、テレーズの旅行かばんを持ってやった。《あの人、まだ死んでいなかったんだ》と、夫人は思った。そして、女の息を引きとるのに立ち会わなければならないことを思ってゾッとした。

　ふたりは、言葉もかわさずに、停車場前の広場に出た。ジェロームは、ちょっと合図をして、一台の空《から》馬車をよびとめた。夫人は馬車に乗りながら、そのとき、なにかしら幸福といったような感動に息がつまりそうな気持ちがした。そうだ、ジェロームの声を聞いたからだ！　そして、夫人は、彼が、オランダ語で御者になにか命じ終わるまで、ちょっとのあいだ、車のステップに足をとめ、身をふるわせていたのだった。それから、夫人は目をあけた。そして、腰掛けに腰をおろした。

　オープンの馬車の中、夫人の隣に腰をおろしたかと思うと、夫はくるりと彼女のほうを向き直った。夫人は、彼のひとみの、赤褐色をした、沈んだ光に見おぼえがあった。夫人は、またしても、そのひとみの燃えるような熱意に包まれてしまった。夫は、いまにも彼女の手を取り、腕にさわろうとするらしかった。そして、そうした態度がすきのない慇懃《いんぎん》なようすと妙な対照をなしていて、夫人は、さも夫が、自分にたいしていかにもなれなれしくやってのけたとでもいったようにムッとさせられた。

だが同時に、思いもよらぬ愛のしるしを見せられでもしたように心を乱された。

そうした沈黙の中に、最初の言葉を投げ入れたのは彼女だった。

「あの……ようすはどうですの？」その名を口にしたくなかった夫人は、そのままますぐに言葉をつづけた。「苦しがっていまして？」

「いや、いや」と、彼は言った。「もうちっとも」

夫の顔を見ないようにしていたにもかかわらず、夫人には、その返事のちょうしから察して、ノエミの容態がぐっと持ち直していることがわかった。そして、夫が、病気の恋人のところへ自分を呼びよせたことで、かなりまいっているにちがいないと考えた。夫人は、刺すような悔恨におそわれた。彼女には、自分がどういう不思議な気持ちから、こうしてすぐ駆けつけてくる気になったのか、自分自身にもわからなかった。ノエミがこうして元気になりかけ、すべてはふたたびもとにかえり、これまでどおりつづけられようとしている以上、自分はここへなにをしに来たのだろう？　彼女は、このままますぐに帰ってしまおうと決心した。

ジェロームは、つぶやくように言った。

「テレーズ……ありがとう……」

その声は、やさしく、相手に一目おいていて、しかもおどおどしていた。彼女は、ジェロームのひざの上に、少しやせた、血管の見えている、そしてそれと目に見えずふるえている彼の長い手と、そのくすり指にはめられ、ぐらぐらしている、大きな浮彫りのある指輪を見た。夫人は、つとめて顔を上げずにいた。彼女は、彼のむきだしの手の上に目をそそいでいた。そして、こうしてはるばるやって来たことを、もはやざんねんにも思わなかった。なぜ帰らなければならないのだ？　自分は、祈りによってはげまされ、自由な気持ちでやってきたのだ。そうしたことから、なんのわるいことの起こり得るはずはないのだ。いま夫人は、帰ろうというあらゆる気持ちを追い払うため、信仰に口実を見いだすが早いか、ふたたび、もとのように強くなることができたように思った。これまでにも、神のいぶきが、彼女を、そういつまでも、不安の中に捨てておいたためしは一度もなかった。

馬車は、ずっと見通しのひらけた、大きなひろびろとした町の中へはいっていった。はうぼうの店は、まだよろい戸を上げていなかった。だが、すでに歩道の上には、職場へいそぐ労働者たちの姿が見られていた。御者は、いままでよりも狭い道へはいっていった。道は断続してつづいていて、それが、驢馬の背のようないくつもの橋によってつながれていた。道は、たがいに並行した、そして、岸に家々の立ちならんでいるいくつもの掘割りをよこぎって走っていた。そして、そうした家々の、なんのもりあがりも見えない、高く、そして、狭い正面は——その大部分、窓だけ白く、あとは赤い正面は、河岸《かし》のほうへ身をかがめている楡《にれ》の木のあいだを通して、なかばよどんだ水の中に姿をうつしていた。フォンタナン夫人は、はるばる遠くフランスを離れたような気持ちになった。

「子供たちはどうしてるね？」と、ジェロームがたずねた。

夫人は、夫がこの質問を発するにあたって、ためらっていたこと、興奮していたこと、そして、今度だけはたしかに、心の悩みをかくそうとしていないのをみてとった。

「元気ですわ」

「ダニエルは？」

「パリで働いています。ひまがあると、メーゾン・ラフィットにもやって来ます」

「じゃあ、きみはメーゾンにいるのかね？」

「ええ」

彼は口をつぐんだ。彼は、あきらかに、公園のこと、森のはしにある見おぼえのある住まいのことを思い浮かべているにちがいなかった。

「それから……ジェンニーは？」

「元気ですわ」夫は、その目で夫人に問いかけ、夫人に嘆願してでもいるようだった。彼女は、言葉をつづけた。「ずいぶん大きくなりました。とてもかわりましたわ」

ジェロームは、まぶたをしばだたいた。彼は、努力した結果、妙にうわずった声でこうつぶやいた。

「そうだろうな。ずいぶんかわったろうな……」それから、ふたたび口をつぐみ、顔をふり向け、とつぜん手でひたいをこすりながら「ああ、何から何までたまらないことばかりだ」と、沈痛なちょうしでさけんだ。そして、なんの連絡もなくとつぜんこう言った。「テレーズ、ぼくには、もうほとんど金がないんだ」

「持ってきましたわ」と、夫人は、間髪を入れずに言った。夫のさけびの中に、無限の窮迫をみとめた彼女は、ジェロームを安心させてやれると思うと、まずうれしくならずにはいられなかった。だがそのすぐあとから、ひとつの不愉快な考えがしのび込んだ。ノエミは、夫が言ってよこしたほど、重態ではなかったのだ、ふたりはけっきょく、金がめあてで自分をここまでこさせたんだ！　そのため、ジェロームがしばらくようすを見ていたあとで、さも言いだしにくそうな口ぶりで、「いくら持ってきてくれたね？」ときかずにいられなくなったとき、彼女は、憤然として身をふるわせた。

夫人は、一瞬、金額を内輪に言っておこうという誘惑を感じた。

「集められるだけ」と、彼女は言った。「三千フランちょっと」

彼は、口ごもるように言った。

「やあ、ありがとう……ありがとう！……テレーズ、とてもお話にならないんだ！……なによりも医者に支払う五百フロリンが入り用なんだ」

馬車は、船がいっぱい浮かんでいる、川とでもいったような掘割りにかかっている石の橋を渡った。つづいて、場末町の狭い往来の中にはいりこんだあと、人っ子ひとり見えない小さな広場のところまでくると、ひとつの会堂の石段のまえでぴたりととまった。

ジェロームは、車からおりて賃金を払い、旅行かばんを手にした。そして、きわめてなにげないようすでテレーズを先に通してやったあとで、石段をあがり、戸口のとびらを押した。それは、御堂《みどう》でも教会《チャーチ》でもなかった。おそらくユダヤ教の教会ででもあったろうか？

「許してもらおう」と、彼はささやくように言った。「家へ馬車をつけさせたくないんでね。外国人は、とても警戒されてるんだ。あとからわけを話すがね」そして、言葉のちょうしをかえると、社交人らしい、人の心をひきつけるような微笑とともに言葉をつづけた。「それに、少し歩いてみるのも悪くなかろう？　けさはとてもなごやかだし！……さ、案内しよう」

夫人は、なんとも答えずに、夫のあとについていった。馬車は、もう広場から姿を消してしまっていた。ジェロームは、穹窿形の天井の下の通路の中へはいっていった。道は石段をのぼりきると、掘割りの一方にだけついている河岸《かし》っぷちへ通じていた。向こう岸には、家々の腰石が、ずっと水の中に並んでいた。日の光は、れんがの上や、金蓮花《きんれんか》、ジェラニウムの花に飾られた、きらきら光る窓のガラスなどに戯れていた。河岸は、人や、屋台や、かごなどでいっぱいだった。そこには、野天の市らしいものがたっていた。古着やがらくたのあいだには、小さい舟に積んできた花がおろされていた。花のかおりは、いささか腐敗している水のにおいにまじっていた。

ジェロームはふりむいた。

「きみ、疲れない？」

彼は、《きみ》というとき、あいかわらず歌をうたうようなちょうしで言った。彼女は、返事をせずに顔をふせた。

彼は、自分がひきおこした感動について、少しも気がついていなかった。そして、向こう岸の町かどの、ひとつの破風《はふ》をさしてみせた。その家に向かって、ひとつの小さな橋がかかっていた。

「あそこだ」と、彼が言った。「いや、とてもおそまつな家なんだ……接待といってもできないが、それは許してもらうことにしよう」

なるほど、見かけはたしかにみすぼらしかった。だが、最近マホガニー色の塗料で塗られ、木組みは白く塗られていたので、よく手入れのできているヨットとでもいったふぜいだった。その二階の、すっかりおろしてあるオレンジ色の日よけの上に、夫人はつつましやかな書体で、

パンション・ローシェ・マチルダ

とあるのを読んだ。

してみると、ジェロームは、ホテルとでもいったような、標札の出ていない家に住んでいるのだ。それなら自分も、あの人たちの家に迎えられるといった気持ちにならずにすむ。そう思うと、思わず肩が軽くなった。

ふたりは橋にさしかかった。二階の日よけのひとつが動いた。ノエミがのぞいているのだろうか。……夫人はぐっとからだを立てた。と、そのときはじめて、彼女には階下の窓と窓とのあいだに、けばけばしい色のブリキ看板の出ているのが目にはいった。そこには、こうの鳥が巣のそばに立っていて、その巣の中から裸の赤ん坊の出かかっているところが描かれていた（産院の看板）。

ふたりは廊下について行き、そこから、蠟びきのにおいのする階段を上がっていった。ジェロームは、踊り場の上に立って、ベルを二度鳴らした。なかからは、がたがた物音が聞こえ、格子のうしろののぞき窓がそっとあけられ、やがてジェロームのからだがやっと通れるだけ、ドアが細めにあけら

れた。

「ちょっと失敬するよ」と、夫が言った。「知らせてくれるから」

夫人は、オランダ語で、ちょっとのあいだ、何か言いあらそっている声を耳にした。ほとんどすぐに、ジェロームは入口の戸をひろびろとひらいた。そこには、彼ひとりだけしかいなかった。ふたりは、いくつも曲がった、長い、蠟びきのされた廊下についていった。夫人は、息がつまりそうだった。そして、たえず、ノエミの前に出ることをおそれながら、沈着さを失うまいとして、自尊心をふるい起こしていた。だがふたりがはいっていったその部屋は、誰も住んでいない部屋だった。それは、掘割りに向かった、さっぱりとした、陽気な部屋だった。

「さ、これがきみの部屋」と、ジェロームが言った。

夫人は、《ノエミは？》と口まで出かかるのをこらえていた。

彼のほうでそれと察した。

「ちょっと行ってくるよ」と、彼は言った。「なにか用がありはしないか見てくるからね」

出て行くまえに、彼は妻のほうへ歩みよって、手を取った。

「ああ、テレーズ、聞いてくれ……ぼくはどんなに苦しい思いをしたことだろう！　だが、とうとうきみはやって来た。こうしてやって来た……」夫は、妻の手の上に、その唇を、その頬をあてかけた。夫人は、さっとひと足うしろへさがった。彼は、べつにひきとめようともしなかった。「すぐ帰って来るからね」と、彼女から身を離しながら言った。「きみ、あれと会ってくれる？」

そうだ、ノエミにも会おう、なにしろ、われから進んで、こうして旅をしてきたのだから！　だがそのあとでは、そのすぐあとでは、たといどんなことがあったにせよ、断然帰ることにしよう！　夫人は、承知する旨のようすをしてみせた。彼女には、夫が、口ごもりながら《ありがとう！》と言った言葉さえ耳にはいらなかった。そして、旅行かばんの上にうつむき込んだ彼女は、ジェロームが部屋を出て行くまで、何かさがしているようなふりをしていた。

いま、夫人は自分自身とさし向かいだった。そして、すっかり確信を失ってしまっていた。夫人は、帽子をぬいで、鏡の中、疲れきった自分の顔を一瞥した。そして、さっと手でひたいをなでた。いったいなんでこんなところにやってきたのだろう？　彼女は、恥ずかしくなってきた。

だが、ぐったりしているひまもなかった。ドアをたたく音がした。

返事をするまもなく、ドアがあけられ、そこに、赤いペニョワールを着たひとりの女——黒すぎるほどの黒い髪、そして顔を作っているにもかかわらず、もう相当の年配と思われるひとりの女が顔を出した。女は、夫人にわからない言葉で、なにかたずねるような言葉を言った。そして、じれったいといったようすをして見せながら、もうひとり別の女を呼び入れた。まえの女にくらべて年の若い女、おなじペニョワールではあったが、これは紺青《こんじょう》で、たしかに廊下で待っていたらしく、フォンタナン夫人を見ると、のどで声を出しながら、

「Dag（オランダ語。《こんにちは》）奥さま！　ごめんくださいまし！」

ふたりの女は、ちょっとのあいだなにか話し合っていた。年上の女は、いっぽうの女に、なんと言

ってほしいのかを説明していた。若いほうの女は、ちょっと考えていたあとで、愛想よく夫人のほうに向きなおると、間をくぎりながら話しだした。

「このかたが、どうかご病人をつれていっていただきたいと申しております。会計をすまして、ほかの家へ行っていただきたいと言っております。Verstaat U ?(オランダ語。《おわかりになりまして?》)わたしの言葉、おわかりになりまして?」

夫人は、はっきりしない身ぶりをした。そんなことは、自分の知ったことではなかった。すると、年のいったほうの女が、またもや、心配そうな、しつこいちょうしで口をはさんだ。

「このかたが言っておいでなんですが」と、若い女が言葉をつづけた。「すぐにお払いをなさらないまでも、なにしろここを引きあげて、出ていっていただきたい、ご病人を、どこかホテルへなりと移していただきたいと言っております。おわかりですか? Politie(オランダ語。《警察》)にたいしても、そうなさったほうがいいんでして」

ちょうどそのとき、ドアがあわただしくひらかれた。そして、ジェロームが顔を出した。そして、なにやらオランダ語でどなりたてながら、彼女をぐんぐん押し出していった。青いペニョワールの女は、ずうずうしい目つきで、ジェロームと夫人をかわるがわるながめながら、黙りこんでいた。いっぽうばあさんは、憤慨の極にたっしたというように、まるでジプシー女の腕のように、腕輪がちゃらちゃら鳴っている握りこぶしを振り上げていた。そして、切り口上でわめきたてていたが、そこには絶えず、

「Morgen……morgen……Politie!」（オランダ語。《あした……あした……警察！》）という言葉がくり返されていた。

ジェロームは、ともかくふたりの女を外へ押し出して、かけがねをさした。

「ごめんね」と、彼は、まの悪そうなようすで妻のほうに向きながら言った。

このとき夫人には、夫がノエミのところへ行ったのではなく、着替えをしに行ったことがわかった。というのは、彼はきれいに顔をそり、軽くパウダーをはたき、すっかり若返っていたからだった。《わたしのほうはどうだろう？》と、彼女は思った。《ひと晩汽車に揺られて来て、どんな格好になっているだろう？》

「きみに、部屋のかけがねをかけとくように言えばよかった」と、夫は、歩みよりながら言った。「あのかみさんは、人はいいんだが、どうもおしゃべりで、それに無遠慮な女でね……」

「わたしになんだって言うんでしたの？」と、夫人はうわの空のようすで言った。彼女はふと、いつもジェロームが身じまいをしたあと、その身のまわりにただよっている仏手柑《ぶしゅかん》のにおいに気がついた。夫人は、しばらくのあいだ、唇をなかばあけたまま、落ちつかない目つきでいた。

「俗語でしゃべるんで、ちっともわからなかった」と、彼は言った。「ほかの泊まり客とまちがえたんだろう」

「青い着物の女の人が、なんども、お勘定を払って出ていってくれって言ってましたわ」

ジェロームは肩をそびやかして見せた。夫人には、あおむいている彼の笑い、いささかわざとらしい、いささかうぬぼれを見せたその笑いが、あいかわらず昔ながらの笑い方のように思われた。

「ハ、ハ、ハ！……ばかな！」と、彼はさけんだ。「ばばあ、おれが踏み倒しでもすると思って心配したんだろう！」それはさも、借金が払えないなんて、考えられもしないというようなようすだった。「いったいぼくが悪いんだろうか？」と、彼はとつぜん暗い顔をして言った。「ぼくは、いろいろ手をつくした。だが、どこのホテルもいい顔をして泊めてくれなかった」

「でも、あの人、警察もあるし、なんて言ってましたわ」

「警察って言った？」彼は、驚いてくり返した。

「だと思いますの」彼女は、ふたたびジェロームの顔の上に、例のあいまいな、うさんくさい表情を見つけた。その思いは、彼女の生涯の一番苦しかったできごとに結びついていたことから、彼女はたちまち、あたりの空気に伝染性をもった毒でもまじりこんだように、胸苦しい気持ちにさせられた。

「くだらない女どもの考えさ！　調べられるはずなんかあるものか？　一階に産院があるからって？　じょうだんじゃない。問題は、医者に五百フロリン払えることにあるんだ」

夫人には、よくわからなかった。そして、彼女は、いつも物ごとをはっきりわかりたがっていたので、それをたまらなく思っていた。とりわけ彼女は、ジェロームが、彼女としてはどう考えていいかわからないような事件にひっかかり、あぶない橋を渡っていることがたまらなかった。

「ここにはいつからいらっしゃいますの？」彼女は、すこしはっきりしたことをつかみたいと思ってたずねた。

「二週間まえからさ。いや……そんなにはならない。十二日、いや十日ぐらいかな。自分でも、なにがなんだかわからずに暮らしているんだ」

「で……病気というのは？」と、夫人は言葉をつづけた。その言葉じりには、はっきり問いかけのちょうしがしめされていたので、夫のほうでも逃げるわけにはいかなかった。

「そうなんだ」と、彼は、ためらうでもなしに答えた。「なにしろ、相手は外国の医者どもだ。なかなか、おたがいの言うことがわからなくなってね！　この国特有の病気なのさ。そら……このオランダ独特の熱病の一種。運河から出てくるやつ……」彼は、ちょっと考えこんだ。「この町には、マラリヤが、それにまだ正体のよくわかっていないいろいろな瘴気《しょうき》があるんだ……」

夫人は半分しか聞いていなかった。彼女は、話がひとたびノエミのことにふれるやいなや、ジェロームの態度なり、肩のすくめ方なり、病気についての無神経な話し方なり、そこに、生きいきとした情熱の少しも見られないことに気がつかずにはいられなかった。だが、彼女は、それをもって、彼の心が女から離れかけているしるしであるとは、考えないようにつとめていた。

夫は、彼女が自分のうえにそそいでいる探るような目つきに気がつかなかった。彼は、窓のそばへ歩みよっていた。そして、日よけを上げずに、たんねんに河岸《かし》のあたりをうかがっていた。そして、ふたたび彼女のほうへもどって来たとき、その顔には、沈痛な、目がさめたといったような、真剣な表情がうかんでいた。それこそは、夫人のよく知っていたところのものであり、彼女のとても恐れていたところのものだった。

「ありがとう、ほんとに親切だなあ」と、なんのまえおきもなしに夫は言った。「ぼくのおかげで、ずいぶん苦労させられたのに、こうしてやって来てくれたんだから……テレーズ……きみ」

夫人は、うしろにさがって、彼のほうを見ずにいた。だが、他人の感情、とりわけジェロームのそれに、きわめて動かされやすい彼女だった。夫人は、そのとき、夫が心の底から感激していること、その感謝が真実であることを否定することができなかった。それでいて、夫人は返事をしようとしなかった。そうした話を、早く打ち切りたいとさえ思っていた。

「つれてっていただきましょう……あそこへ」と、彼女は言った。

彼は、一瞬ためらった。そして、承知した。

「では」

恐ろしい時が近づいていた。

《しっかりするんだ!》と、夫人は、薄ぐらい廊下にそい、ジェロームのあとから歩いて行きながら、心の中でくり返した。《まだ寝ているんだろうか? 回復期にはいっているんだろうか? なんと言ったものだろう?》彼女はとつぜん、疲れのため、よれよれになっている自分の顔のことを思いだした。せめて、帽子だけでもかぶってくればよかった。

ジェロームは、しまっているひとつの戸口の前で立ちどまった。夫人は、身をふるわせ、白い髪を手でなでながら《ずいぶん年をとったと思うだろうな》と、考えた。いままでの気力が、すっかり抜けてしまった感じだった。

ジェロームは、音を立てずに戸をあけた。《寝ているんだな》と、夫人は思った。

部屋は薄暗くされていた。そこには、青い枝模様のあるペルシャ更紗のカーテンが引かれていた。知らない女がふたり、立ちあがった。ひとりは小柄で、女中か、ないし看護人らしかった。前掛けをかけ、編み物をしていた。もうひとりは、五十がらみのたくましいようすの女、イタリアの百姓女のように、紫がかった幅広のひもで髪をしばっていたが、夫人が部屋のまんなかへはいって行くと同時にあとしざりして、ふた言三言ジェロームの耳にささやいたと思うと、たちまち姿を消してしまった。

夫人は、女が出て行ったことにも、部屋の中の取り散らしてあることにも、金だらいにも、ベッドの上に散らばっているよごれた幾枚かのタオルにも気がつかなかった。彼女の注意は、まくらをせずにうつぶせにねている病人の上だけにそそがれていた。ノエミが、くるりとこっちへ向きかえりはしないだろうか？　彼女は、たしかに眠っていた。いびきが聞こえているのだから。そして、夫人が、その眠りをみださないため、卑怯にも部屋を出て行こうと考えていたとき、ジェロームは、ベッドのすそへ近づくように合図をした。夫人は、いやと言えなかった。そのとき、彼女の目に、女の両眼がひらかれていて、いびきはそのぽっかりひらかれた口から、しゃくり上げるように出てきているのが見えた。薄暗さになれてきた夫人は、血の気のうせた顔、まるで屠殺された動物のそれといったような、つやのない、青みがかったひとみを見た。夫人は、一瞬にして、そこに横たわっているものが死にかけているのを見てとった。思わずゾッとした夫人は、あわや助けを呼ぼうとしてふり向いた。そこには、ジェロームがいた。そして、悲しみに打ちひしがれた顔をして、この瀕死の女を見まもりながらも、もう彼には、何からなにまでわかっているということが受けとれた。

「最後の出血があってから」と、彼は声を低めて夫人に説明した。「そして、それは四度めのやつだったんだが、それからというもの、意識を取りもどさないんだ。このごろごろは、ゆうべからはじまった」涙が二滴、彼のまぶたのふちにしずかにふくれあがっていた。そしてちょっとのあいだ、まつげのあいだでふるえているかと見ているうちに、浅黒い頬の上をころがり落ちた。

夫人は、しっかりしていようとしたがだめだった。そして、いやでも見ずにいられないわが目のまえの光景を、このうえがまんしていることができなかった。

ついいましがたまで、自分に勝ったというような姿を見せるにちがいないと思っていたノエミ、そうだ、そのノエミが、いま死にかけている。自分たちの生活のまえから、その姿を消そうとしている。夫人は、すべてが動かなくなってしまったこの顔のうえから、目を放す気になれなかった。すべてが――眼差しも、かたくなった小鼻も、また白い唇も、そして、そのあいだから、遠いところからやって来る、しゃがれた、間遠な呼吸がもれ、それが絶えずくり返されている白い唇も。夫人は、恐怖のまじった好奇心にかられて、そうした顔だちのひとつひとつを、あきることなくながめつづけていた。血の気のうせた、つやのない皮膚、かわききった、光ったひたいの上にぴったりくっついているこの黒い髪、これがはたしてノエミだろうか？　色というもののない、また表情というもののない顔の上に、夫人は何ひとつ思いだすものをみとめなかった。いつから会わずにいたかしら？　夫人は五、六年まえノエミを訪れたときのこと、ノエミのところへかけつけて《うちの人を返してちょうだい！》とさけんだときのことを思いだした。夫人の耳にはあのときのいとこのけたはずれた笑い声が聞こえるように思われた。と、たちまちはっとおどりあがるような気持ちで、夫人は、長椅子の上に横たわっていた美しいノエミの姿、レースの下でぴちぴちふるえていた肉づきのいい肩のあたりを見たように思った。そうだ、あの日のことだった。玄関のところでニコルが……

「そして、ニコルは？」と、夫人はいきおいこんでたずねた。

「ニコルって？」

「知らせておやりになりました？」

「いいや」

彼女自身、パリから出発するとき、どうしてそれに気がつかなかったのだろう？　夫人は、ジェロームを少し離れたところへつれていった。

「呼んでやらなければいけませんわ。母親なんですもの」

夫人は、訴えるような夫の眼差しの中に、この男のあらゆる弱さを読みとった。そういう彼女自身もためらった。このおそろしい家へニコルがやって来たときのこと、この部屋の中にニコルがはいって来たときのこと、このベッドのまくらもとで、ニコルとジェロームが出会ったときのこと！　それにもかかわらず、声こそいくぶん弱かったが、彼女はふたたび、

「呼んでやらなければいけませんわ」と言った。

夫人は、ジェロームが、人から何か計画を強制されるとき、さらにその顔をくらくさせる土け色を、それに、いかにもいじわるそうな表情で、薄い唇の間からにやりと歯をのぞかせるにが笑いとを見て

とっていた。
「あなた、ニコルを呼んでやらなければいけませんわ」と、夫人は静かにくり返した。
細いまゆげが、ぐっと寄せられたと思うと、そのまま元どおりにおろされた。彼は、まだがんばっていた。だが、やがて、夫人のほうへ、こわばった眼差しをあげた。夫人の主張が勝ったのだ。
「番地を教えてくれ」と、彼が言った。

彼が電報を打ちに出かけると、夫人はすぐにノエミのそばへもどっていった。彼女には、このベッドのそばから離れている気になれなかった。

夫人は、腕をだらりと下げ、手を握りあわせて立っていた。どうして自分には、病人が助かったなどと考えることができたのだろう？　ジェロームの態度にだまされていたのだ。それにしても、ジェロームは、なぜもっと苦しんでいるようすを見せないのかしら？……あの人は、これからいったいどうなるのだろう？　自分のところに帰って来て、暮らすことになるだろうか？　もちろん、自分としては、それを言いだすことはしないだろう。といって、むこうがそれを言いだしたとき、それを拒みもしないだろう……

彼女の心の中には、われにもあらず、そのあとではすぐそれを恥ずかしいと思わずにはいられなかったが、うれしいといったような気持ち、というより、むしろきわめてなごやかな安心の感情が生まれかけていた。彼女は、つとめてそうした感情を払いのけようとした。夫人は祈ろうと努力した。こうしていま、主のもとに立ちもどろうとしている霊のために、祈ってやろうと努力した。かわいそうな霊よ、おまえはこの世でたいした善根もつまずにあの世に行こうとしている、と思った。だが、生きとし生けるものが、必然的によりよきほうへ向かって進んでいるとき、この世における絶えざる更生改新の道程においてなされるひとつの努力こそは、たといそれがどんな小さなものであれ、それを成しとげた者に、何かつけ加えるのではないだろうか？……ひとつひとつの苦しみこそ、必然的に完徳への第一歩をきざむものではないだろうか？……夫人は、ノエミが苦しんだであろうことを疑わなかった。そのはなばなしい一生にもかかわらず、このきのどくな女は、たえず心の中に苦しい不安、自分ではその存在を知らないにしても、しかもひそかにそれを汚すことをおそれてやまなかった良心の拘束を受けていたのだ。そして、そうした苦しみこそ、彼女のため、よりよき再生の材料として数えられるものにちがいない。そして、彼女の恋にしても同様なのだ。たといその恋が罪ふかいものであり、人にたいして多くの災いをもたらしたものであったにしても！　そうした災い、それを夫人は、いまはわけなくゆるしてやることができていた。だが、夫人は、そうすることが、自分としてたいして善根をつむものでないことを考えていた。すなわち夫人は、ノエミの死を、ひとつの大きな不幸であると考えようとしても考えられない事実を認めないではいられなかった。そうだ、誰にとっても、不幸であるとは考えられなかった。夫人もまた、ジェロームとおなじように、ノエミのいなくなることになれていきかけているのだった。彼女の感情は、容赦ない速度をもって進んでいった。この事実を知って、から、まだ一時間にもなっていない。——それなのに、彼女は、早くもあっさりあきらめかけていたのだった……

それから二日の後、ニコルがパリ発の特急からおりたとき、母はすでに三十六時間まえに息を引きとっていた。そして葬儀は、その翌朝おこなわれることになっていた。

みんなは、一刻も早く始末をつけてしまいたがっているらしかった。宿のおかみも、ジェロームも、そして、とくに例の五百フロリンの若い医者など。この医者は、階下の一間で簡単な話しあいをすませたあとで、わざわざ死人の階まであがってもみずに、すぐ埋葬手続きの書類を書いてくれた。

夫人は、ずいぶんつらすぎる仕事ではあったが、ノエミの最後の化粧をてつだってやりたいと申しでた。というのも、ニコルに、彼女にかわって、そうした敬虔なつとめをはたしてやったと言ってやりたかったからだった。だが、いざとなって、夫人は、なんともなっとくできない理由のもとに、死者の部屋から遠ざけられた。そして、産婆が——ジェロームはそれを説明して《なにしろやりつけているから》と言った——看護婦だけを相手に、それをやることになったのだった。

ニコルの来てくれたことは、夫人の気持ちを変えてくれた。

それは、ちょうどいい時だった。夫人には、廊下で、産婆、家主のかみさん、医者などに出会ったりするのが、一時間一時間と、ますますたえがたいものに思われだしていた。ここへ来てからというもの、彼女は、この家の中では、息のつけそうなほんのわずかな空気さえも見いだせずにいた。ところが、ニコルの快活な顔、その健康、その若さ、それはこの家に、すべてのものを浄化するような空気をもたらしてくれた。だが、ニコルがしめした悲しみの爆発――それは、隣の部屋にかくれていたジェロームに、身も世もあらぬ思いをさせた――それが、夫人には、およそ少女が、われとわが身を持ちくずした母親にたいして実際いだくだろうと思っていた感情とは、似てもにつかないもののように思われた。そして、そのはげしい、無反省な、子供らしい悲嘆は、夫人をして、その姪の性質にたいしての観察を、はっきりさせることになったのだった。すなわち、けなげな子ではあるが、しんからどっしりしたところを持っていないな、と夫人は思った。

ニコルとしては、母の遺骸をフランスへつれてかえりたかった。だが、ニコルは、母の不行跡の責任者だとして思いつづけているジェロームに、口をききたくないと思っていた。彼女のかわりに、そのことをテレーズおばさんが言いだしてくれた。だが、おばさんの申し出は、総括的な、そして明確な反対をうけた。すなわち、そうした運搬にはばくだいな費用のかかること、そのための手続きがとてもたいへんなこと、それに、ジェロームによれば、それには無益と知りつつも、外国人にたいしてのうるさいオランダ警察の取り調べがあるにちがいないこと、などが反対の理由にあげられた。けっきょく、あきらめなければならなかった。

感動と旅とに疲れきってはいたが、ニコルは通夜をしたいと言った。彼らは、三人だけで、黙って、最後の夜をノエミの部屋ですごした。棺は、花に埋まって、二脚の椅子の上に据えられていた。ばらとジャスミンのにおいがあまりつよすぎるので、窓を大きくあけずにはいられなかった。熱い、とてもすがすがしい夜だった。まぶしいほどの月光だった。間をおいて、家の柱脚にあたる水の音が聞こえていた。近所の寺の鐘が時を告げていた。月の光は、ゆかの上をすべりながらその光をのばし、棺のすそに落ちていたくずれかけた一輪の白ばらのほうへ刻一刻とのびていっていた。そして、ばらは、透きとおり、ほとんど青みさえ帯びていた。ニコルは、敵意のこもった目で、部屋の中の取り乱したありさまをながめていた。そうだ、母は、おそらくここで暮らし、ここで苦しんだにちがいない。母はおそらくこの壁紙の花束をかぞえながら、臨終の迫ったことをさとり、身も世もあらぬ思いで、失敗した一生のあやまちのかずかずを、つぎからつぎへと思いだしていたにちがいない。そして、娘である自分のことを、たといおくればせではあったにせよ、考えていてくれたのではあるまいか?

葬式は、朝早くおこなわれた。

宿のかみさんも、産婆も、ともに葬列に加わらなかった。フォンタナン夫人は、ニコルとジェロームのあいだにはさまって歩いていった。そして、ほかには、夫人の請いによって葬列にしたがい、最後の祈禱をとなえてもらうことになっていたひとりの老司祭がいるだけだった。

さてそのあとで、ニコルにふたたびあの掘割りのけがらわしい家を見せたくないと思った夫人は、墓地からすぐに駅へつれて行くことにした。ジェロームは、荷物を持って、駅でいっしょになることになっていた。もっともニコルは、たといどんなものにせよ、母の外国での生活の思い出となるようなものはなにひとつ持ってかえりたくないと言っていた。こうして、ノエミの荷物を捨てていくということが、宿のおかみとの最後の決済のいざこざを、驚くほど簡単に解決してくれた。

勘定いっさいをすませ、さて駅へ向かうつじ馬車の中にひとり身をおいたジェロームは、出発までにまだだいぶ間のあることを考えて、ふと心に浮かんだ衝動のままに、馬車を取ってかえさせ、ふたたび墓地へ向かった。

墓のある場所を見いだすまでには、しばらく歩きまわらなければならなかった。そして、掘りかえされた土によって、遠くからそれと見わけられたとき、ジェロームは帽子をぬぎ、こわばった足どりで進んでいった。そこにはいま、ともに暮らした六年の生活、けんか別れをしたり、やきもちをやいたり、よりをもどしたりした六年の生活、かずかずの思い出と秘密とをもった六年の生活、しかも最後の秘密、悲痛きわまりない秘密、とうとうこんなことになってしまった秘密をこめた生活が横たわっていた。

《なにしろ》と彼は考えた。《もっとえらいことになるかと思っていた……おれは、たいして苦しまずにすんだ》と、彼は思った。だが、そのひきつれたひたい、涙をいっぱいたたえた両眼は、むしろその反対を物語っているようだった。妻の来てくれた喜びが、悲しみを立ちこえていたにしても、それがはたして彼の罪といえるだろうか？　自分にとって、ただひとり好きなテレーズ！　いつか彼女にそれがわかってもらえるだろうか？　りんとした冷たさを見せている彼女、その彼女は、いつか一度、たとい表面はどうであろうと、彼女こそ、この浮気男の一生——だが、そこには烈々たる愛の気持ちの一貫しているこの自分の一生を、ただひとり満たしてくれたものであることを理解してくれるだろうか？　彼女にささげていたこの全的な愛にくらべれば、あらゆる浮気のごとき、けっきょく一時的のものにすぎなかったことを理解してくれるだろうか？　しかもいまがいま、自分にはれっきとした新しい証拠がある。すなわち、彼はノエミの死によって、がっかりもしなければ、また、ひとりぼっちの気持ちにもならなかった。テレーズが生きているかぎり、たとい彼女にして、彼からもっと遠いところにいたにしても、また彼女にして自分との絆をすっかり断ち切ったもののように思っているにしても、自分はけっしてひとりではない。彼はいま、この花をまかれた地面の下に眠っているのがテレーズだと想像してみようとした。だが、彼には、そう考えることさえたまらなかった。彼は、妻にいろいろ悲しい思いをさせたことについて、ほとんどなんらのやましさをも感じていなかった。彼は、この厳粛な時にあたり、この墓の前に立って自分が妻にたいし、なにひとつ重大な点について隠しだてをしていなかったという、そして、彼女にたいし、自分の心の最もとうといもの、最も不変なものをささげつくしてきたという、じつにはっきりした確信をもっていた。彼は、一瞬たりとも彼女を裏切ったことがないという、じつにはっきりした確信をもっていた。《彼女はおれをどうするだろう？》と、彼は、じゅうぶんな信頼をもって考えた。《自分のところに帰ってくるがいい、子供たちのところに帰ってくるがいいと言ってくれるにちがいない……》彼は、顔を涙にぬらしながら、頭をたれていた。そして、心は、ひそかな希望に照らされていた。

《ニコルさえいなければ、万事うまくいくんだが》

彼は、少女の黙りこんでいた態度、その敵意のこもった眼差しを思いだした。彼は、墓穴の上にうつむきこんでいた少女の姿を思いだした。そして、その耳には、少女ががまんできなくなって発した、あのかん高い、胸を刺すような嗚咽《おえつ》の声が、ふたたび聞こえるように思った。

そうだ、ニコル、これこそは彼にとってひとつの呵責の種だった。少女が、怒りにかられて母の家を飛びだしたというのも、原因は、彼にあったのではないだろうか？　彼の記憶の底からは、説教の言葉の切れはしが浮かんできた。〈つまずきを来す人は災いなるかな〉《どうして償いをしたらいいだろう？》と、彼は思った。《どうしたら彼女にゆるしてもらえるだろう？　どうしたら彼女にわかってもらえるだろう？》いまの彼には、自分が誰からも愛されていないと思うことが、なんとしてもたまらなかった。ちょうどこのとき、ひとつのすばらしい考えが心をかすめた。《あれを貴女にしてやったら？》

すべてはからりと晴れわたった。彼はたちまち、ニコルが、彼のためにいろいろ飾ってくれるであろう部屋の中、彼のそばに腰をおろし、なにくれとなく世話をしてくれ、客のあったときの手だすけをしてくれることなどを想像した。夏になったら、いっしょに旅行だってできるだろう。そして、みんなは、自分があやまちを償うために懸命になっているのを見て、感心するにちがいない。そして、テレーズも、それをみとめてくれるにちがいない。

彼はふたたび帽子をかぶった。そして、墓から遠ざかりながら、急ぎ足で馬車のところへもどっていった。

停車場へ着いたとき、列車は、すでにしばらくまえから仕立てられていた。フォンタナン夫人とニコルは、すでに車室に席をとっていた。そして、夫人は、夫の来かたのおそいのを、不審に思っていたところだった。パンションで、なにかめんどうなことが起こったのではないだろうか？　すべてが、ありうることのように思われだした。事によると、夫は出発できなくなるのではないだろうか？　自分の夢――ジェロームをメーゾン・ラフィットへつれて帰ること、彼の家庭への復帰、そして、おそらく自分が彼の後悔を助けてやれるだろうということなど――そうした彼女の美しい夢も、それを思いついたと思った瞬間、たちまち消えてしまうのではないだろうか？　心配そうな顔つきをした夫が、大またに自分のほうへ歩みよってくるのを見たとき、彼女の不安は大きくなった。

「ニコルはどこにいるね？」

「廊下（フランスの汽車の車室には窓にそって廊下がついている）にいますわ」夫人は、びっくりしてこう答えた。

ニコルは、半分おろした窓のまえに立っていた。その眼差しは、いかにもものうさそうに、きらきら光る線路の無数に入りまじっている上にそそがれていた。彼女は悲しかった。だが、なにより疲れていた。悲しいにはちがいなかった。だが、それでいて彼女は幸福だった。というわけは、きょう一日のあらゆる悲しみをもってしても、一瞬たりとも彼女を幸福から引き離すことができなかったから。母さんが生きていようと死んでいようと、この自分には、いいなずけが待っていてくれはしないか？そして彼女は、それがひとつの罪ででもあるかのように、あらためて、つぎのような考えを追い払おうとつとめていた。すなわち、母の死んだということが、少なくとも自分のいいなずけにとっての救いであり、これまでふたりの将来を毒していた、たったひとつのことを取りのぞいてくれた、という考えかた。

ニコルの耳には、ジェロームの近づくのが聞こえなかった。

「ニコル！　お願いだ！　お母さんの名において、どうかおじさんを許してくれ」

ニコルは飛びあがった。そして、くるりとふり返った。彼は、帽子を手にして、ニコルの前に立っていた。彼はニコルの上に、へりくだった、愛情のこもった眼差しをそそいでいた。悲嘆と悔恨とにいためつけられたその顔は、いま彼女に、なんの恐ろしい気持ちをもおこさせなかった。彼女は、かわいそうに思った。それはまさに、こうなるのを待ってはじめてやさしくしてやろうと思ってでもいたかのようだった。そうだ、ニコルはゆるしていたのだった。

彼女はなんとも答えなかった。だが、彼女は、黒手袋をはめた小さな手を、あっさり彼のほうへ差しだした。彼は、その手を取るなり、感動をおさえきれずに、それを堅く握りしめた。

「ありがとう」と、彼はつぶやくように言った。そして、彼女のそばからはなれていった。

何分かの時がたった。ニコルは、動こうともしなかった。彼女は、テレーズおばさんのため、たしかにそうしたほうがよかったのだと思っていた。そして、こうした感激的な場面のことを、いいなずけに話してやろうと思っていた。人々が、車に乗ってきだし、荷物のはしで、彼女をこすっては通っていった。やがて列車が動き出した。列車の動揺が、彼女に、ぼんやりした気持ちからぬけだすことをたすけてくれた。彼女は、車室へもどっていったが、さっきまであいていた席には、知らない人たちがすわっていた。そして、彼女は、奥のほうに、おじがフォンタナン夫人の正面にしゃんと腰をおろし、一方の腕を腕かけの皮にあずけ、顔を外のけしきにふり向けながら、サンドウィッチをかじっているのを見た。

八

ジャックは、その日の午後をジェンニーとの会話のひと言ひと言を思いだすことですごしてしまった。彼は、そうした思い出を執拗に忘れさせずにいるものがなんであるか、べつに分析してみようとも思わなかった。だが、どうしてもそれから離れることができなかった。そして、夜、幾度となく目をさましては、たえず新鮮な楽しさをもってそのことを考えつづけていた。そんなわけで、翌日テニスをやりに出かけ、少女の姿が見えないのを見ると、とてもがっかりした。

彼は、人からゲームを申し込まれると、それをことわろうとしなかった。だが、絶えず目を入口のほうへくばりながら、きわめてまずいプレーをした。時はたっていった。どうやらジェンニーはこないらしい。彼は、逃げだせるとみるが早いか、その機会をのがさなかった。彼は、もはや希望こそ持っていなかったが、あきらめてしまってはいなかった。

と、とつぜん、こっちをさしてやって来るダニエルの姿が目にはいった。

「ジェンニーは？」出会ったことに驚きもしないで、ジャックがたずねた。

「けさはやらないそうだ。もう帰るのかい？　じゃいっしょに行こう。ゆうべからメーゾン・ラフィットに来ているんだ……そうなんだ」彼は、クラブから出るが早いか言葉をつづけた。「ママは、ちょっと家をあけなければならなくなったんだ。そして、夜、ジェンニーがひとりきりにならないようにと、ぼくに泊まりに来るようにいってきたんだ。なにしろ人里はなれた家だから……例によっておやじのしばいさ。ママときたら、なにひとつおやじにたいしてことわれないんだ」彼は、ちょっとのあいだ心配そうなようすだった。だが、やがてきっぱりと微笑を浮かべた。彼は、苦しいことにそういつまでもこだわっていられない性分だった。「ところでどうだ？」と、ダニエルは、その眼差しに、やさしい心づかいをみせながら言った。

「ねえ、ぼくは、きみの《思わぬ告白》のことを幾度となく考え直してみた。ぼくは断然、あの作品が好きでいる。考えれば考えるほど、ますます好きになってくる。なるほど、心理の点では、唐突な、いささか乱暴な、それにところどころちょっとわかりにくいような個所もある。だが、着想はすばらしい。そして、ふたりの人物は、つねにきわめて真実であり、そして新しい」

「じょうだんじゃない」と、ジャックは、いらいらした気持ちをおさえきれずに口をはさんだ。「ぼくはあんなもので判断されたくないんだ。第一、構成がたまらない！　ぼてぼてしている！　べとべとしていて、それにおしゃべりでいっぱいだ！」彼は、腹だたしそうにこう思った。《遺伝なんだ

……》

「内容にしても」と、彼は言葉をつづけた。「あまりにも常套的で、それに、こしらえものでありすぎる……一個の人間の裏面というやつ……ぼくにはどうしていいかわかってるんだ。それでいながら……」そして、彼はとつぜん口をつぐんだ。

「いまなにを書いてる？　ほかのものにでも取りかかったかね？」

「うん」ジャックは、なぜということもわからずに、さっと顔の赤らむのを感じた。「が、なにより先に休養だ」と、彼は言葉をつづけた。「あんなところにいれられてたんで、思ったよりも疲れている。それに、ぼくは、あのバタンクールのやつの結婚式へ行ってきたんだ。――あの裏切りものめ！」

「そのことについては、ジェンニーも話していた」と、ダニエルが言った。

ジャックは、ふたたび顔を赤らめた。第一には、きのうふたりで話したことを、彼女と自分との間の秘密にしておいてもらえなかったことがちょっと不満に思われたので。つづいて、彼女がそれになんらかの価値をあたえてくれたということ、その晩すぐ、兄に話して聞かせるほど、それをはっきり覚えていてくれたと知っての、わきかえるようなうれしい気持ち。

「どうだ、話しながら、セーヌ川の岸まで行ってみないか？」彼は、ダニエルの腕の下に、自分の腕をさし込みながらさそった。

「だめだ。一時二十分でパリへ帰らなければならないんだ。ねえ、夜のあいだは番犬にもなろうさ、だが、昼間は……」その微笑によって、どんな用件でパリに帰るのかを見せつけられたジャックは、不愉快な気持ちになった。そして、そのまま腕をひっこめてしまった。

「ところで」と、ダニエルは、そうした影をはらいのけようとして言葉をつづけた。「家へ来ていっしょに昼飯を食わないか？　ジェンニーも喜ぶだろうし」

ジャックは、またもや胸の乱れてくるのを隠そうと思って目を伏せた。彼は、ためらっているようなふりをした。父は帰って来ていない。だから、食事を一度欠くことぐらいなんでもなかった。彼は思わず、自分がうれしくなってきていることにわれながら驚かずにはいられなかった。だが、そうした気持ちをおさえながらこう答えた。

「行ってもいいな。だが、ちょっと家へ行ってことわってくる。ひと足先へ行っててもらおう。広場のところでいっしょになるから」

何分かの後、彼はお城の前、草の中に寝そべって待っているダニエルといっしょになった。

「なんていういい気持ちだ！」ダニエルは、ひなたにながながと足をのばしながら、ジャックのほうを向いてさけんだ。

「けさのこの公園の美しさったらどうだ！　こんなところで暮らせるなんて、きみもほんとにしあわせだな！」

「きみだって、暮らすつもりなら暮らせるのに」と、ジャックが言いかえした。

ダニエルはからだを起こした。

「ふん！　それはそうだ」と、彼は夢みるような、快活な表情で言った。「だが、ぼくはちがう……

ねえきみ」彼は身を寄せながら、そして、言葉のちょうしを変えながら言った。「じつはすばらしい事件がはじまりそうなんだ！」

「緑色の目のやつかい？」

「緑色の目？」

「パクメルんとこの」

ダニエルは立ちどまった。その目は、一瞬、じっと前をみつめていた。彼は、奇妙な微笑をもらした。

「リネットか？　ううん、別のやつ。もっとすてきなやつなんだ！」彼は、考えこんで、口をつぐんだ。「そうそう、あのリネット」と、やがて彼は言った。「妙な女さ！　あいつのほうから蹴りやがった！　そうなんだ、ほんの幾日かで！」彼はさも、いままでそんな目にあったおぼえがないとでもいったように笑ってのけた。「作家のきみなら、興味の持てる女だったかもしれない。だが、このぼくは疲れちまった。あんな、正体のわからない女なんてはじめてだ。いまでも思うが、せめてものの十分でも、ぼくを愛してくれていただろうか。だが、愛してくれているうちは……まるで気ちがいみたいだった！……くさい過去でもしょっていて、追っかけられてでもいるようなんだ。どこかのブラック・バンドの一味だなんて聞かされても、べつに驚きはしないだろう」

「あれからちっとも会っていない？」

「ちっとも、どうなったかさえ知らないんだ。あれから二度と、パクメルのところへはあらわれなかった……ときどきは、惜しいことをしたとも思うんだが」と、彼は、ちょっと口をつぐんでからつけ加えた。「そうは思うが、実際のところ、とても長つづきはできそうになかった。たちまち、鼻もちのならない女になったにちがいないんだ。想像できないほどの不作法さだ！　ひっきりなしに、なんとかかんとか質問ぜめだ。ぼくの私生活についての質問なんだ。そうなんだ、家族のこと、母のこと、妹のこと。それだけじゃない、さらに進んで、とりわけおやじのこと！」

彼はだまったまま幾足か歩いた。そして、ふたたび言葉をつづけた。

「それはそれとして、ぼくは、彼女についてひとつの輝かしい思い出を持っているんだ。彼女を、リュドウィクスンから取りあげてやった晩のこと」

「で彼は、きみから……生活の道を取りあげたりはしなかったか？」

「彼？」ダニエルの眼差しは輝きだした。微笑したので、歯がまるだしになっていた。「いままでぼくは、あのときほど、リュドウィクスンという人物をはっきり見さだめる機会を持たなかった。いいか、彼は、何もかも忘れてしまっているようだった！　きみとしては、どうとも好きに考えるがいい。だが、ぼくは思うね、じつにりっぱな人物なんだ」

ジェンニーは、その日の朝のうちを外へ出ないですごした。そして、ダニエルからテニスに行こうとさそわれたときにも、用事を口実にして頑強に拒んだ。だが、彼女は、何をしてみてもおもしろくなかった。そして、そのあいだ、何もできずにいた。

部屋の窓から、庭を通るふたりの青年の姿が見えたとき、彼女は、最初こまったというようなようすをした。あれほど兄とふたりきりの食事を楽しみにしていたのに、ジャックのおかげでだいなしになるのだ。だが、うらめしいと思う彼女の気持ちは、ダニエルが、細めにあけた戸口から快活な姿をあらわしたとき、たちまちにして消えてしまった。

「昼飯に誰をさそってきたか当ててごらん」

《着替えするだけのひまはある》と、彼女は思った。

ジャックは、そのあいだ、庭の中を歩きまわっていた。この朝、彼は、いつにもましてこのあたりの美しさを感じていた。別荘でいっぱいの庭を出ると、フォンタナン家の別荘は、まるで森かげに忘れられた農家とでもいったような美しさを見せていた。ちぐはぐないくつもの建物は、かつての猟舎だったらしい、高い窓のついた、いくたびも手を加えられた建物を中心にして集まっていた。つき出たひさしのかげには、納屋の階段とでもいったような木の階段が、両翼の建物のうちで、その高いほうの建物についていた。ジェンニーの鳩は傾斜したかわら屋根の上からたえず飛びたっていた。そして、壁の上には、明るいばら色をした、古いあら塗りの塗料が塗られていて、それが、まるでイタリアしっくいといったように光を吸っていた。ばらばら立ち並んだ大きな何本かの杉の木は、樹脂のにおいをただよわせ、そこにはもう草もはえていないカラリとした陰の中に家をつつんでいた。

昼食は、ダニエルの、いかにもくったくのない快活さのおかげではずんでいた。その日の午後、いろいろうれしいことのいっぱいあった彼は、朝のうち、とても上きげんだった。彼は、ジェンニーに、その青い着物のことをほめてやった。そして、ブラウスに、白ばらを一輪さしてやった。彼は、ジェンニーのことを《ぼくの妹》と呼び、ちょっとしたことにも笑いこけ、自分でも、そうした自分の浮かれ方をおもしろがっていた。

彼は、ジャックとジェンニーに、停車場まで送ってきて、汽車のくるまで、待っていてほしいと言った。

「晩ご飯までには帰ってくる?」と、ジェンニーがたずねた。ジャックは、もちろん彼女がそれを意識してではなかったにしても、おりおり、そのつつましやかな、またおとなしやかな見かけを破ってしめされるてきぱきしたちょうしに気がついて、ちょっとさみしい気持ちがした。

「うん、たいていね」と、ダニエルが答えた。「つまり、むりをしてでも、七時に着く汽車に乗るようにしよう。なにしろ夜には帰ってくる。ママにもそう言ってあるんだから」彼は、この最後の言葉を、聞きわけのいい子供といったようなちょうしで言った。それが、一人まえの男の口から言われるといかにもかわいらしく、ジャックは、思わず笑いださずにはいられなかった。そしておりから小犬の首輪に綱を結びつけようと身をかがめていたジェンニーまでが、おかしいといったような目つきで顔を上げた。

そのとき、列車が停車場にはいりかけていた。ダニエルは、ふたりをそのままにして、あいたまま通りすぎた前部の車室のほうへかけて行った。そして、ふたりには、はるかに、彼が、戸口に身を乗り出し、やんちゃらしいようすでハンケチを振っているのが目にはいった。

ふたりは、心がまえをするだけの余裕もなく、ダニエルの上きげんに圧倒されたままで、ふたりきりになってしまった。ふたりは、ダニエルがまだふたりのあいだの仲だちになっていてくれるかのように、わけなく友だちらしいちょうしを保ちつづけていられた。ふたりはこうした休戦状態にほっとしたかたちで、この折り合いをこわさないように用心していた。

兄を送ってちょっとさびしくなっていたジェンニーは、兄がいつも留守がちなことを思っていた。

「あなた、ダニエルに、せっかくの夏休みを、こんなふうに行ったり来たりですごしちまわないように言ってくださらなければ。ことしみたいに、こんなにちょっとしかやってこないと、ママがどんなになさけながるか、あの人わかっていないのよ。ええ、当然あなたは弁護するだろうと思うんだけれど」と、彼女は言い添えた。だが、そこには、なんら皮肉らしいものは感じられなかった。

「弁護しようなんて思わないさ」と、彼は言いかえした。

「ぼく、彼の生活ぶりを肯定してるように見えるかしら？」

「じゃ、そのことを兄さんに言ってあげた？」

「もちろんさ」

「でも、兄さんはあなたの言うことを聞かないの？」

「聞くことは聞く、だが事はさらに重大だ。つまり彼には、ぼくの言うことがわからないらしいんだ」

彼女は、くるりと向き直りながら、思いきってこう言った。

「……もうあなたっていうものがわからなくなっちゃった？」

「たぶん」

ふたりの会話は、最初から大まじめなものになっていた。ふたりは、ダニエルについて持っていた同じ意見を取りかわした。そうした気持ちは、きのう以来ふたりのあいだでぜんぜん目あたらしいものではなかったが、ふたりは、それをこれほどあけすけに受けとる気持ちにはぜったいになれずにいたのだった。ちょうどふたりが、ふたたび公園へはいりかけていたとき、彼女のほうからこう言った。

「広い道を通って行かない？　森をぬけて、家まで送って来てくださるわね？　時間も早いし、それになんとも言えない良い気持ちだし」

いま、彼の心の中には、彼としてべつにそれを隠そうともしない大きな幸福が生まれかけていた。彼は、それに身をまかせる気持ちになれなかった。彼は、ふたりの理解にとっての貴重な話題が、このまま消え去ってしまうことをおそれていた。そして、急いで、話の糸をたぐりよせた。

「ダニエルは、いま、とてもはげしい生の陶酔っていうやつを味わってるんだ！」

「それはあたしも知ってるわ」と、彼女が言った。「なにひとつ束縛のない生活の！　でもね、束縛のない生活なんて、それはずいぶん……それはずいぶん危険だわ。不純だわ」彼女は、彼のほうを見ずにつけ加えた。

彼は、重々しいちょうしで、おなじ言葉をくり返した。

「不純。ジェンニー、同感だな」

この言葉——彼がいつも口に出そうとしてはためらい、しかも幾度となく唇まで出かかっていたこの言葉——彼はそれを、この少女の唇から、まるで踊りあがるようにしてつかんだ。そうだ、ダニエルのすべての浮気ざた、それはたしかに不純なものだった。そして、アントワーヌの恋愛ざたにしても同様だった。あらゆる肉欲、それは、すべて不純なものなのだ。そして、ただひとつ清らかなもの、それこそは、この数カ月以来彼の心の中に芽ばえ、そしてきのう以来、一刻一刻ひらきつづけてやまない、まだなんと名をつけていいかわからないこうした感情以外にないのだった！

だが、彼は、平静をよそおいながら言葉をつづけた。

「人生にたいするああした彼の態度、ぼくはときどきそれを思ってどんなに腹がたつことだろう！ああした一種の……」

「背徳だわ」と、彼女は無邪気に言ってのけた。それは彼女が、自分自身にたいして用いなれていたひとつの言葉で、それは彼女の場合、自分の純真さから考えてけしからんと思われるあらゆるものの同意語として用いられていた。

「むしろ、ああした一種のあつかましさ」と、彼は修正した。だが、そうした彼の言葉も、はなはだ不適当というべきだった。というのは、それは、彼が自分自身のために用いていた言葉にほかならなかったからだった。だが、彼はすぐに、これではいささか自分自身を知らせることになるのに気がついた。そして、その言葉を言いかけたままでこう言った。「といって、なにもぼくが、絶えず自分自身とたたかっているような人たちだけを尊敬しているという意味ではないんだ。ぼくの好きなのは……」(ジェンニーは、彼の本心を突きとめようとして、彼の顔をながめていた。それはさも、彼女にとって、この最後の言葉こそとりわけ重要なものと思っているかのようだった。)「……ぼくは、自分自身現在あるような自分になろうと決心したような人たちが好きなんだ。だが、それにしても……」彼の頭の中には、若い娘の前では言いだせないようないくつかの例が思い浮かんだ。彼は、ためらった。

「そうね」と、彼女が言った。「あたし心配してるのは、兄さんが……さ、なんて言ったらいいかしら？……自分のまちがったことをしているのが、すっかりわからなくなってきはしまいかということなの。わかる？」

彼は、頭で、わかったというようすをしてみせた。そして、今度は、彼のほうから、しげしげ彼女をながめないではいられなかった。それは、彼女の考え深そうな顔が、そうした言葉に加えて、さらに多くのものを語っていたからのことだった。《ああした言葉の中に》と、彼は考えた。《自分でもそれと気づかず、なんと自分自身を語りだしていることだろう！》

彼女は、じっと自分をおさえていた。だが、口がひきつれ、呼吸も苦しくなってきたので、自分がいま、これまでにもたびたび心を苦しめ、それをぜったい外にあらわすまいとつとめていたはげしい情熱のひとつをなんとかしておしころそうとしていることがうかがわれた。《いったいどうして》と、ジャックは心の中にたずねてみた。《彼女の顔は、あれほどかたく、あれほど無表情になれるのだろう？　あまりに細い、あまりにきつすぎるまゆげのせいかしら？　あるいはむしろ、彼女のひとみが明るすぎるほど明るい薄鼠《うすねず》色の虹彩の中にちぢまるときにできる、あのふたつの黒い穴のせいかしら？》ジャックは、このとき以来、もうダニエルのことなど忘れてしまっていた。そしてジェンニーのことばかり考えていた。

しばらくのあいだ、ふたりは口をきかずに歩いていた。それは、比較的長い時間だったが、ふたりにとっては、ほんの短い時のあいだのように思われた。だが、ふたたび話をつづけようとしたとき、ふたりは、自分たちの考えが、たがいにぐっとへだたってしまい、しかも、それが別々な方向へ向かってさえいるらしいことに気がついた。そうしたわけでふたりのうちのどちらも、どうして沈黙を破ったらいいのか、まったくわからずにいた。

おりよく、道は、往来に修繕中の自動車がいっぱい並んでいる、ガレージといったような建物にそって走っていた。そして、けたたましいモーターの音は、話をする気持ちにさせなかった。

油の流れた水たまりの中をこねまわしていた、からだにひぜんのできた一匹の老いた病犬が、ピュスのまわりに来てうろつきはじめた。ジェンニーは、ピュスを腕にだき上げた。ふたりが工場の前を通りすぎたかすぎないころ、ふたりは、とつぜんさけび声を耳にして、思わずうしろをふりかえった。十五歳くらいの見習いの操縦している骨組みばかりの一台の自動車が古鉄の音をがたがたたてながら工場の中から出ようとして、とつぜん大きくカーヴを切った。少年のさけんだ声もまにあわなかった。そして、老犬には、身をかわすだけのひまもなかった。ジャックとジェンニーは、自動車が犬の脇腹をひっかけ、ふたつの車輪が、つぎつぎに犬の上を通りすぎてゆくのを見た。

ジェンニーは、おびえあがってさけびたてた。

「死んじまう！　死んじまう！」

「なあに、歩いてるさ！」

そうだった。犬は立ちあがり、からだを血だらけにしてほえたてながら、轢《ひ》かれた後半身をほこりの中にひきずって、どこというあてもなしに逃げだしてゆくところだった。けがをしているので、犬は、右に左によろけながら歩いていた。そして、二メートルも行っては、すぐにへたばってしまっていた。

相好を変えたジェンニーは、おなじちょうしでくり返していた。

「死んじまう！　死んじまう！」

犬は、一軒の家の広庭の中へはいっていった。うめき声は、だんだん間遠になり、やがてぱったりやんでしまった。ガレージの職工たちは、こうした合の手をおもしろがって、血のたれているあとを追っていった。なかのひとりは、家のところまで行って、ほかの連中のほうへこうさけんだ。

「くたばっちまったぞ。もう動かねえや」

ジェンニーは、ほっとしたかのように、だいていた犬を下におろした。そしてふたりは、ふたたび森のほうへ向かって歩きだした。だが、ふたりして感じたこの感動、それはふたりを、さらに近づけさせていたのだった。

「忘れられないな」と、ジャックが言った。「きみがどなったときのあの顔、あの声」

「ばかみたいになっちゃったの。なにしろカッとしちゃったのよ。あたし、なんてどなったかしら？」

「《死んじまう……》ってどなってた。ねえ、こうなんだ、きみは犬が自動車にひっかけられて血みどろになるのを見た。それはたしかにおそろしかった。だが、ほんとのおそろしさは、それからあと、というのは、それまで生きていた犬が、たちまちへばって死ぬのを待つばかりという悲惨なときになって、はじめて感じられたっていうわけなんだ。ではないかな？　つまり、一番悲痛なことは、生から死への引き移り——あの不可解な転落にある。ぼくたちのなかには、この瞬間の恐怖、何かしら神聖な恐怖といったやつがひそんでいる。それがいつでも目をさますのだ……きみはたびたび死ということを考えてみるかしら？」

「ええ……さあ、あんまりたびたびも考えないわ……あなたは？」

「ぼくなら、ほとんどひっきりなしに考えてる。つまり、ぼくの考えの大部分は、ぼくをその死という考えにみちびいているんだ。だが」と、彼は力のないちょうしで言葉をつづけた。「いくらそこまでいったところでなんにもならない。そうした考えは……」彼は、そのまま言葉をきった。彼の顔は、燃えるようであり、反抗的であり、ほとんど美しいとさえいうことができた。そして、そこには、生のいらだたしさと、死の恐怖とがまじり合っていた。

ふたりは、黙ったまま、さらに幾足か歩みつづけた。やがて、彼女は、おずおず話しはじめた。

「ねえ、あたし、なぜだかわからないけれど――まったくなんの関係もないことなのよ――あるひとつのことを考えるの。あなた、兄さんから聞いたでしょう？　あたしがはじめて海を見たときのこと？」

「ううん、話したまえ」

「ずいぶんまえの話なのよ……あたし、十四、五のときだった。こうなの。夏休みも終わりに近く、ママといっしょに、そのころトレポールに行ってた兄さんに会いにいったの。兄さんからは、なんという名か忘れちまったけど、これこれの駅でおりるようにと言ってきてあったの。そして、兄さんは、荷馬車をやとって迎いに来てくれていた。兄さんは、海が、道の曲がりくねりのたびごとに少しずつ見えてくるようにさせまいと思って、あたしに目かくしをさせちゃったの。ばかなことをしたもんだわね？……しばらくすると、兄さんは、あたしに馬車からおりろと言った。そして手を引いてくれたの。あたし、ひと足ごとにつまずいていた。あたしにはあらしのような風が顔に吹きつけるのが感じられ、ひゅうひゅういう声、ほえたてるような声、それはそれはおそろしい響きがきこえていた。あまりのこわさに、あたし、もうこれくらいにしてとたのんだの。やがて、がけの一番高いところまで来たとき、兄さんはなにも言わずにあたしのうしろへまわり、はじめて目かくしをはずしてくれた。と、目の前に、海がすっかり見渡された。足の下、ほとんど垂直にきりたったたくさんな岩のあいだに、荒れくるっている海が見えた。ぐるりとあたしを取りまいて、目の届くかぎりはるばるとひらいた海。あたし、息ができなくなって、兄さんの腕の中に倒れちまったの。何分かして、あたし、やっとわれにかえった。そして、しゃくり泣けてきてこまっちゃったの……あたし、家につれて行かれて、ベッドの上に寝かされた。そして熱を出した。ママ、とてもおこってたわ……でも、あたし、いま、ちっとも後悔なんかしていないわ。ほんとに海がわかったような気がするのよ」

こうして悲しみがすっかり影をひそめてしまった彼女の顔、のびのびとして、むてっぽうといったようなもののかげさえうかがわれる目、それはジャックが、これまで一度も見たことのないものだった。だがとつぜん、そうした情熱は影をひそめた。

ジャックには、いままで知らずにいたジェンニーが少しずつ見えだしてきたのだった。つつしみ深さと、唐突な激情とがこうしてたがいに入りまじっているところ、それはまさにひとつの泉——ふさがれてはいるが、中にゆたかに水をたたえ、時あってドッとわき出す泉とでもいうようだった。そこに彼は、彼女の顔に内面生活の深いかげをうかがわせ、そのつかのまの微笑をいかにも意味ふかいものに思わせる、あの本質的な憂愁の秘密をつかんだのではあるまいか？　とたちまち、彼はこうした散歩もいずれは終わらなければならないもののように思われた。そして、はげしい不安におそわれた。

「べつに急ぎはしないんだろう？」あの昔の、アーチ形になった森の入口をくぐるやいなや、彼は気をひくようにジェンニーに言った。「すっとまわって帰ろうじゃないか。きみはたぶん、あそこの小道を知っていないと思うんだが」

足ざわりのいい砂地の小道は、木だたみのかげのほうへ走りいっていた。それは、はじめのうちは草にふちどられて広かったが、進むにつれてだんだん狭くなっていっていた。このあたり、樹木ののびも悪かった。威勢の悪い茂みをとおして、いたるところに空がすいて見えていた。

ふたりは、たがいの沈黙によって、べつにぎごちない気持ちにもされずに歩きつづけていった。《あたしいったいどうしたんだろう?》と、ジェンニーは考えた。《この人、あたしの考えていたような人ではなかった。そうだ、この人は、この人は……》だが、彼女を満足させるような形容詞はなにひとつ見あたらなかった。とつぜん彼女は、《あたしたち、なんて似ているんだろう》と、当然といった気持ちと、同時に喜びの気持ちで考えた。と、そのすぐあとから、彼女は心配になってきた。《この人、いったい何を考えているのかしら?》

彼は、なにも考えていなかった。彼は、気持ちのいいうつろな幸福感にひたっていた。彼女のそばを歩きながら、彼は、それ以外のなにものをも望んでいなかった。

「ここは、森の中でも一番殺風景なところなのさ」と、彼は、やがて、つぶやくように言った。そうした彼の声を聞くと、彼女はからだをふるわせた。そしてふたりにとって、いままで黙りこんでいた時間が、ふたりいっしょに考えつづけていたばくぜんとしたあることのため、絶人な重要性を帯びたものであることに気がついた。

「あたしもそう思うわ」と、彼女が答えた。

「これは、草だなんて言えやしない。まあ、はまむぎみたいなものなんだな」と、ジャックは言葉をつづけながら、足で地面を踏みつけた。

「犬が、大喜びでたべてるわ、ほら」

ふたりは、口から出まかせをしゃべっていた。いま、ふたりにとって、言葉は、すっかりその価値を変えてしまっているようだった。

《彼女の着物の青い色がいいな》と、ジャックは思った。《あのやさしい青い色、ちょっとねずみがかった青い色が、どうしてこうまでしっくり似合うんだろう？》そして、なんのまえおきもなしにこうさけんだ。

「ねえ、ぼくはぼんやりしてるだろう？　それはね、心に思っていることから、気をまぎらさないでいるからさ」

すると、ジェンニーは、返事のつもりでこう言った。

「あたしもよ。あたし、たいていいつもなにか考えこんでるの。あたし、それが好きなのよ。あなたも？　自分で思ってることは、自分だけのものでしょう。それを、ほかの人たちとわけないでいられるのがうれしいの。わかる？」

「うん、よくわかる」と、彼が言った。

いくつかの野ばらの枝――その一本にはすでに小さい実がなっていた――は、小道の上までさしかわした薮だたみに花を飾っていた。ジャックは、それを、こう言いながら、彼女にささげてやろうかと思った。《いざ、ここに、花と、木の実と、葉と、枝と。かくてまた……》（ヴェルレーヌの詩句）そして、立ちどまって、じっと見つめてやることにしよう……だが、彼にはそれができなかった。そして、薮だたみを通り過ぎてから、こう思った。《おれも文学青年だなあ！》

「きみ、ヴェルレーヌが好き？」と、彼はたずねた。

「好きよ。とりわけ『知恵』（ヴェルレーヌの詩集の名）なんか。兄さんが昔大好きだったわ」

彼は、つぶやくように口にだした。

　女人の美しさよ、その弱さよ。また
しばしばよきことをなし、あらゆる悪しきを
　なし得る青白き手よ……

「では、マラルメは？」彼は、ちょっと間をおいたあとで言った。「ぼく、近代詩人の選集を持ってたっけ。相当よくできてる。なんなら持ってきてあげようか？」

「ええ」

「きみ、ボードレール好き？」

「たいして。ホイットマンとおなじくらい。それにあたし、ボードレールをあんまり知らないのよ」

「ホイットマンは読んだ？」

「去年の冬、兄さんが読んでくれたの。あたしには、兄さんがなぜそんなにホイットマンが好きなんだかわかるのよ。でも、あたし……」

「ではきみは」と、彼は言葉をつづけた。「そのために、兄さんほどホイットマンが好きになれない

んだな？」

彼女は、ジャックが自分の思っていることのつづきを言ってくれたのをうれしく思って、うなずいてみせた。

ふたりは同時に、さっきふたりが口にした《不純》という言葉のことを思っていた。《なんてふたりは似ているんだろう？》と、ジャックは思った。

小道はふたたび広くなって、林の中のあき地に出た。そこには、毛虫のいっぱいついた二本の槲《かしわ》の木のあいだに、一台のベンチがすえられていた。ジェンニーは、しなやかな麦わらで編んだ大きな帽子を草の中に投げだして、腰をおろした。

「あたし、ときどき」と、彼女は、誰に言うともなく、ただ高く声にだしたというように、いかにも自然に口からだした。「あなたがダニエルと仲よくしているのを見て、なんだかふしぎに思うことがあるのよ」

「なぜさ？」と、彼は微笑した。「ぼくと兄さんとちがうような気がする？」

「きょうなんか、とても」

ジャックは、彼女から少し離れた土手の上に横になった。

「ぼくとダニエルとの友情……」と、彼はつぶやいた。「兄さんは、ときどきぼくの話をした？」

「ううん——そうね、話したわ。少し」

彼女は顔を赤らめた。だが、ジャックは、見てはいなかった。

「ああ」と、彼は、草の葉をかみながら言った。「いまでこそゆるぎのない気持ち、しっくり落ちついたものになってはいるが、いつもこうではなかったんだ」彼は、口をつぐんだ。そして、一本の草の葉のはし、そこに見られる日だまりの中に、かたつむりがひとつ、瑪瑙《めのう》のように透きとおりながら、光の中に、ゼラチンのようなふたつの角をおそるおそる動かしているのをさして見せた。「ねえ」と、彼はまったくとつぜんのように話をつづけた。「学生時代、ぼくには何週間というもの、自分がたしかに気ちがいになると思われたときがあった。小さな頭の中では、数かぎりないいろいろなことがごったがえしていた。しかも、ぼくは、いつもひとりぼっちだった！」

「だって、あなた、お兄さんといっしょだったんでしょう？」

「ありがたいことに。もひとつありがたいことには、ぼくは非常に自由だった。そうでもなかったら、ぼくはたしかに気ちがいになっていた……でなければ逃げだしてでもいただろう」

彼女は、マルセーユへの逃避行のことを思い浮かべた。そして、いまになってはじめて、いささかそれを許す気持ちになっていた。

「ぼくは自分が人に理解されていないように思っていた」彼は、沈んだ声で言った。「誰にも、兄きにさえ。そして、しばしばダニエルにさえ」

《あたしとすっかりおんなじ》と、彼女は思った。

「あのころ、ぼくは何ひとつ学校の勉強に興味が持てなかった。ぼくは本を読んだ。ぼくは、まるで気ちがいのように、兄きの本箱にあるもの、ダニエルが持ってきてくれたありとあらゆる本を読んだ。フランス、イギリス、ロシアの近代小説をほとんどすべて読んでしまった。そして、どんなに興奮させられたことだろう！　そうしたあとでは、何から何まで、死ぬほど退屈に思われた。学校の授業とか、教科書の文章についてのくだらない議論とか、またおめでたい人たちのありがたいお説教とか！　ぼくは、ぜったいそんなことのために生まれてきたんじゃなかった！」こう語る彼の言葉の中には、少しも思いあがったところが見られなかった。彼は、若い、力を持った青年たちすべてに見られるような十二分の自信に満ちていて、こうして自分を見まもっている目の前で、自分というものを分析してみせること以上に正しい楽しみはないと信じきっていた。そして、それを、楽しみとする彼の気持ちは、ジェンニーの心をも動かしていった。「ちょうどあのころ」と、彼は話しつづけた。「ぼくはダニエルに三十ページもの手紙を何本も書いた。それを書くのに、いつも徹夜したものだった。そうした手紙の中へ、ぼくは一日じゅうのあらゆる感激、とりわけあらゆる憎悪をたたき込んだ！　ああ、いまとなって考えると、笑いだしたくもなってくる……いや、そうじゃない」と、彼は、顔を両手の中にかかえて言った。「それらすべてのこと、それはあまりにも苦しかった。そしてぼくは、いまでも許せないんだ！　そうした手紙、ぼくは、それをダニエルからかえしてもらった。ぼくは、それを読みかえしてみた。そのひとつひとつ、まるで、正気にかえったときの気ちがいの告白とでもいったようなものなんだ。手紙は、何日かのあいだをおいて、時にはわずか幾時間というあいだしかおかないでつづけられた。ひとつひとつが、まるで爆発だった——心の中の危機の爆発とでもいったようなもの。そして、その危機たるや、多くの場合、それまでのものとまったく似てもつかないものだった。宗教的危機とでもいったようなもの。というのは、ぼくは、めくらめっぽう、あるいは『福音書』の中に、あるいは『旧約』の中に、あるいはコントの『実証哲学』の中に飛びこんでいったんだから。ああ、エマスンを読んだあとでの手紙のはげしさ！　ぼくは、青年のこうしたありとあらゆる病患を経験していた。峻烈をきわめたレオナルド病、きわめて激しいボードレール病！　だが、ぜったいに慢性なやつにはかからなかった！　朝のうちはクラシックだと思うと、夕方はロマンチックになっていた。――そして、ぼくは、こっそり、兄きの実験室で、マレルブ（フランス十六世紀の文学者。フランス詩文の改革者、保護者として知られる）やボワロー（フランス十七世紀の詩人、評論家。フランス詩歌の改革者。有名な『詩法』の作者）を燃やしてしまった。ぼくは、ひとりで、まるで悪魔のように笑いながらそれをやってのけた！　さて、翌日になると、ありとあらゆる文学的なものが、おなじように空疎な、胸くそのわるい化物のように思われだしてきた。ぼくは、幾何学を、その第一歩からやり直しはじめた。ぼくは、あらゆる既成法則をひっくりかえすような、新法則を発見しようと決心していた。だが、少しすると、ぼくはまた詩人になっていた。ぼくはダニエルのため、ほとんど書き消しなしに、二百行もの叙情小説や書翰詩《エピトル》を書きあげた。だが、何より一番信じられそうもないことは」と、彼は、急に冷静になって言葉をつづけた。「それはぼくが、きわめて真剣な気持ちで、しかも英語で、そうだ、すっかり英語で、『社会上より見たる個人解放の問題』The emancipation of the individual in relation to Society を書きあげたっていうことだった！　いまでもちゃんと持っている。そうだ、それだけではない。さらに序文がついていたんだ。短くはあったが、なにしろ現代ギリシャ語で書いた序文が！」（だが、この最後の点は嘘だった。彼はただ、そうした序文を書こうと思っていたことを思いだしただけだった。）彼は、からからと笑いだした。「そうだ、ぼくは気ちがいじゃない」彼は、しばらく黙っていたあとで言った。彼は、なお、ちょっとのあいだ口をつぐんでいたあとで、なかば荘重に、なかば笑いを浮かべながら、といってべつに思いあがったようすもなしに、こう言った。「なにしろ、ぼくはほかの連中とかなりちがっていた……」

ジェンニーは、小犬をなでてやりながら考えこんでいた。いままでになんべん、ジャックのことを、安心のできない、ほとんど危険な人間とでもいったように考えていたことか！　それがいまでは、彼が恐ろしくなく思われだしてきたことをみとめないではいられなかった。

ジャックは草の上に横になって、じっと前を見つめていた。彼には、何からなにまで、かくさず話してしまえたことがうれしかった。

「ねえ、木のかげにいるって、なんていい気持ちなんだろう？」と、彼はだるそうにたずねた。

「ええ。でも、いま何時かしら？」

ふたりは時計を持っていなかった。公園のとっつきはすぐそこだった。ふたりには、べつに急がなければならない用事もなかった。ジェンニーの目には、腰をおろしていたベンチから、このよく知っている二本の栗の木のこずえ、そのまた向こうに、空の青さの上に、森番の家の杉の木が、黒い葉を差しのべているのが見えた。

彼女は、スカートに足をかけて立ちあがった犬のほうへ身をかがめながら、ジャックのほうを向かないようにしてこう言った。

「兄さんが、あなたの詩を読んで聞かせてくれたわ」

彼がなんとも言わないのにおどろいた彼女は、思いきって彼のほうを見た。彼は、はえぎわのあたり、切れこんださか毛のあたりまで赤くしていた。そして、むっとしたような眼差しで、あたりをにらみまわしていた。今度は彼女がまっかになった。そして、

「あら、あたし、悪ことを言ったわね！」とさけんだ。

すでにジャックは、自分がむっとしてわるかったことを反省しかけていた。そして、それをおさえようとつとめていた。だが、彼は、誰かが――ジェンニーが――自分のたどたどしい作品によって自分を判断するだろうことを考えて、なんとしてもたまらなかった。そしてその点、きょうまで、自分が自分の力を見せるようなことをしていなかったことがわかっていればいるだけ、さらにじりじりせずにはいられなかった。そしてそれこそ、彼が毎日苦しみ悩んでいたことなのだった。

「ぼくの詩なんかだめなんだ！」と、彼は、はき出すように言った。（彼女は、べつに反対しなかった。彼女は手さえ動かさなかった。彼はそれをうれしく思った。）《もしそう思いでもしたというなら、このぼくを、あまり見くびりすぎたっていうもんだ……世間の人間……ああ！》と、彼はとうとう声にだした。「彼らにこのぼくのやろうとすることがわかったら！」そして、心を燃えあがらせるようなこうした題目、ジェンニーが前にいてくれること、そしてこのあたりの静けさなど、それは彼の心の中にはげしい感動をひき起こさせ、彼の声はしめあげられたようになり、目は、ぴりぴりしてきて、いまにも泣きだしそうに思われた。「ねえ」と、彼は、ちょっと言葉を切ってから言った。「つまり、

それは、ぼくが高等師範《ノルマル》へはいれたからって、お祝いを言ってくれる人たちみたいなものなんだ！　それについてのぼくの気持ち、わかってもらえるかしら？　ぼくは、それを恥ずかしいと思ってるんだ。そうなんだ、恥ずかしいと！　合格したことを恥ずかしいと思ってるばかりじゃない……ああした連中に審判されたのが恥ずかしいんだ！　ああ、ああした連中がどういう人間か、きみにわかってもらえたら？　どいつもこいつも、おなじ鋳型、おなじ書物で作られてる！　書物、明けても暮れても書物！　しかも、このぼくは……そうだ、ぼくは彼らのあわれみをこいに行かなければならなかった……このぼくが！　ぼくはおめおめ……ああ！……ぼくは……」彼にはなんと言っていいかわからなかった。彼は、そうした反感にたいして、なんらもっともらしい理由をあたえられなかったことを知っていた。だが、堂々たる論拠、正しい論拠は、それがきわめて熾烈なものであったため、それがきわめて深く彼の心の中に根ざしていたものであるため、それをすぐ取りだし、白日のもとに展開してみせるわけにいかなかった。「ああ、ぼくは、やつらのすべてを軽蔑する！」と、彼はさけんだ。「そして、やつらのあいだにいるこのぼく自身を、さらに軽蔑する！　そして、ぼくはぜったい、ぜったい……これらすべてを許すことができない！」

彼女は、彼の興奮を見れば見るだけさらに自分をおさえていた。彼女には、ジャックの考えがはっきりつかめていながらも、彼がしばしばこうしたはっきりしない憤懣をもらし、断じて許さないと口ばしっているのに気がついた。たしかに彼は、ずいぶん苦しんだにちがいない。だが——この点、彼はどんなに彼女とちがっているだろう——彼の、将来にたいする、未来の幸福にたいする信念には、依然なんの曇りもなかった。彼の呪いの言葉の中にも、そこには永遠な希望と確信のいぶきが通っていた。その望みは無限にひろく、そこにはなんら疑いの影もないようだった。ジェンニーは、これまで、ジャックの将来について、何も考えていなかった。だがいま、彼がその目的をきわめて高くおいているのを見せられても、べつに驚きもしなかった。ジャックを、乱暴な粗野な少年としてながめていたころでも、彼女は、いつも彼のうちにひとつの力をみとめていた。そしてきょう、こうした烈々たる言葉を聞かされ、彼の心を燃えたたせているらしい炎の色を見せられた彼女は、われにもあらずおなじ竜巻にまき込まれたとでもいうように、目のまわるような感情をかき立てられた。そこからは、不安などでもいったような感じがわき起こった。そして彼女は、そのあまりの苦しさに立ちあがった。

「失敬した」と、ジャックは、しめつけられたような声で言った。「なにしろ、そのことが、いつも心について離れないもんだから」

ふたりは、昔のソ・ドゥ・ルー（前出、第三巻一九〇ページ注参照）の曲がりくねりにそって、ちょうど城塞の巡邏《じゅんら》道といったようについている小道をたどり、公園へ曲がっている森のもうひとつの門のところまでやってきた。門には、槍のようにとがった鉄柵がしまっていた。そして、その錠まえは、まるで牢獄のかんぬきのようなきしみをたてた。

日は高かった。まだ四時をまわっていなかった。ふたりは、べつに散歩を早く切りあげなければならない必要もなかった。それなのに、なぜ帰り道についたのだろう！

公園の中では、何人かの散歩の人たちとすれちがった。そして、ついきのうまでは、ふたりいっしょに、なにも考えずにおなじ道を歩いていたふたりでいながら、きょう、こうしてふたりきりで並んで歩いているところを見られると、ふたりとも、おなじようなきまりわるさを感じた。

「では」道がふたまたになっているところまで来ると、ジャックが急にそう言った。「あのへんでお別れにしようか？」

彼女は、なんのためらいも見せずに、それに答えた。

「そうね。ここまで来れば、もう家に帰ったのもおんなじだから」

彼は、なぜかわからずにぎごちない気持ちになり、帽子を取ろうという気にさえならずに、じっと彼女の前に立っていた。当惑している顔のうえには、彼がたびたび見せる、それでいて散歩のあいだ、彼女の目につかなかった、あの重苦しい、ごつごつしたような表情がふたたびしめされていた。彼は、手を出そうとしなかった。彼は、ほほえんでみせようとつとめていた。そして、おずおずした眼差しを彼女のほうへ向け、くるりと向き直ろうとしながら、つぶやくようにこう言った。

「ぼくはどうして……きみにたいして……いつも……こんなふうにできないんだろう？」

ジェンニーの耳には、それがはいらなかったようだった。そして、うしろをふり返りもせずに、真一文字に草の中を走っていった。

それは、彼女が、きのう以来、幾度となく心の中にくり返していたことなのだった。だがとつぜん、ひとつの疑いが心をかすめた。それは、彼女として、口にだして言えないほどの疑いだった。ことによるとジャックは、こう言おうとしていたのではないだろうか。《どうしてぼくは、いつもこうして、きょうのように、きみのそばで暮らせないんだろう？》こうした仮定は、彼女の心を燃えあがらせた。彼女は足を早めた。そして自分の部屋へ帰りつくと、頬をほてらせ、足をがくがくさせながら、もう考えまいと決心した。

それから夕方までのあいだ、彼女は気がちがいでもしたように動きまわってすごした。彼女は、部屋の模様がえをやり、家具の位置をかえ、階段の踊り場のところに据えた簞笥の中を整頓し、家中の部屋部屋の花をいけなおした。彼女は、思いだしたように小犬をつかまえてだきしめると、それをしつこい愛撫でいじめあげた。そして、最後に、も一度時計を見上げ、いよいよ兄が晩飯に帰ってこないと思ったとき、彼女はがっかりしてしまった。ひとりぼっちで食事をする気になれなかった彼女は、テラスで、晩飯がわりにいちごをひと皿たべた。そして、きょう一日の無限の苦しみを忘れようと、客間の中にとじこもり、ありったけの灯火《ともしび》をつけてから、ベートーヴェンの譜本を取り出した。だが、彼女は気が変わって、ベートーヴェンを元のところへもどし、今度はショパンの『エチュード』を持ってピアノのところへ走りよった。

まったくこの日は、ことさら日の暮れ方がおそいように思われた。というのは、すでに上がっていながら、木の間に隠れていた月の光は、気のつかないうちに、夕ばえの名残りの光と取ってかわっていたからだった。

ジャックは、なにとはっきりした考えもなく、さっきジェンニーに貸してやろうといった『現代詩集』をポケットにすべり込ませた。そして、今夜という今夜、もう感激のない家庭生活にがまんすることができなくなって、公園の中を歩きに出かけた。考えは、あれやこれやとたえず移って、それをまとめることができなかった。出かけて三十分もたたないころ、彼ははやくもアカシアの並木道にはいり込んでいた。《門がしまっていないといいが》と、彼は思った。

門はしまっていなかった。小さな鈴が鳴りわたった。彼は、闖入者《ちんにゅうしゃ》とでもいったように、ふるえあがった。蟻づかのにおいをまじえた、あたたかいあぶらっこいにおいが、樅の木のかげからにおっていた。しんとした庭の空気をただピアノの音だけがかきたてていた。たしかにジェンニーとダニエルとがひいているにちがいない。客間は、家の向こうがわにむいてあいていた。ジャックのいるほうへ向かっては、窓という窓がしめられていて、家は眠ってでもいるようだった。だが、屋根だけは、なにか不思議な光によって照らしだされていた。彼は驚いてふり返った。月だった。月は木々のこずえを越して、すでに家の棟を青くいろどり、天窓のガラスを光らせていた。彼は、胸をとどろかせ、自分のいることをどうして知らせたものかと当惑しながら、家のほうへ近づいていった。そして、ピュスが、きゃんきゃんとほえながらとびついて来たとき、彼ははじめてほっとした。だが、その鳴き声も、ピアノの音に消されたにちがいなかった。ピアノは、あいかわらずひきつづけられていた。ジャックは、身をかがめると、いつもジェンニーがするように、犬を両腕でだき上げてやった。そして、そのすべすべしたひたいのうえに、軽く唇をあててやった。つづいて彼は、家の横手をぐるりとまわり、灯火《ともしび》に照らされた戸口のあけ放たれている客間の前、そこのテラスのところへ出た。彼はそのまま近づいていった。ジェンニーのひいているものを、聞きわけようと思ってだった。そのとりとめないようなメロディーは、しばらくゆらいでいて、笑いと涙のあいだを立ちまよっているかと思うと、やがて、喜びも悲しみも存在しない高いたかい世界へと消えていった。

彼は、入口のところまでやって来ていた。客間の中には、誰もいないようだった。最初彼には、ピアノにかけてあるペルシャ更紗、またその上にのせられているいくつかの骨董品しか見えなかった。とたちまち、ふたつ並べた花びんのあいだに、ひとつの顔、渋面をつくったひとつの仮面がろうそくの灯《ひ》のつくる光暈《こううん》のなかに浮かびあがっているのが見えた。心の中の動揺に、おもがわりしてしまっているジェンニーだった。そして、その顔の、あまりにもあからさまな、あまりにもあらわな表情に接した彼は、彼女の裸体を見せられでもしたように、思わず知らずあとしざりした。

犬をしっかり肩にあてて抱いたまま、盗人のようにふるえながら、彼は、家のかげに身をよせながら、曲の終わるのを待っていた。そして、そのときはじめて、高い声でピュスの名を呼んだ。そしてたったいま、庭から来たようなふりをした。

彼の声を聞きつけて、ジェンニーはぎょっとした。そして、急いで立ちあがった。彼女の顔のうえには、ひとりで味わっていた感動の跡がまだ残っていた。そしておびえあがった彼女の眼差しは、なにか秘密を守ろうとでもいうように、ジャックの眼差しをはねかえした。彼はたずねた。

「びっくりした?」

彼女は、ひとことも口がきけずにまゆをしかめた。ジャックはそのまま言葉をつづけた。

「ダニエル君、まだ帰ってこない？」それから、ちょっと間をおいて「さっき話した詩集を持ってきた」

彼は、無器用な手つきで、ポケットから書物を出した。彼女は、それを手にとって、機械的にページをめくった。

彼女は立ったままだった。そして、彼にたいして、掛けるようにともすすめなかった。ジャックは、帰ったほうがいいのだなと思った。彼はテラスに出た。すると、ジェンニーもあとにつづいた。

「かまわないで」と、彼は、聞きとれないほどの早口で言った。

彼女は、どうこの場を切りぬけていいかわからず、といって、手を差しのべて別れる決心もつかないままに、彼をおくって行ったのだった。木々の上をはなれた月が明るく照りわたっていたため、彼がジェンニーのほうをふり返ったとき、彼には、ジェンニーのまつげのしばだたいているのが目にはいった。彼女のきている青い着物は、亡霊とでもいったようにたよりなげに見えていた。

ふたりは、ひとこともロをきかずに、ずっと庭をぬけていった。

ジャックは、小さな門をあけて、路上に出た。ジェンニーも、ついうかうかと門を出た。そして、光の円光に包まれながら、道のまん中、ジャックの前に立っていた。そのとき彼は、月光に輝く壁の上に、少女の影を、その横顔を、その首筋を、編み上げた髪を、あごを、そして唇の表情までも――漆黒の、驚くほどくっきりした彼女の影絵を見た。彼は、それを指さして見せた。彼の心の中を、ふとくるおしい考えが通りすぎた。そして、前後の思慮もなく、臆病な者だけのやれる大胆さで、壁のほうへ身をかしげるなり、なつかしい人の顔の影にキスをした。

ジェンニーは、自分の姿をむしり取ろうとでもするように、ぐっと身をひいた。そして、門の中に姿を隠した。月光を浴びている、四角い庭が見えなくなった。庭の戸がしめられたのだ。ジャックには、小じゃりを踏んで逃げてゆくジェンニーの足音が聞こえていた。彼は、やおら元気をとりもどすと、やみの中へと歩きだした。

彼の顔は、笑っていた。

ジェンニーは駆けていた。駆けにかけていた。まるで、このしんとしすぎるほど静かな庭いっぱいの白や黄のおばけどもに、追いかけられてでもいるようだった。彼女は、家の中へとびこみ、自分の部屋に駆けあがると、ベッドの上にガバと身を投げた。彼女は、ひやりとした汗にふるえあがった。胸が苦しかった。彼女は、ブラウスのうえに、ふるえる両手を押しあてた。そして、ひたいで、荒々しくまくらをもとめた。彼女の意思は、ただひとつの努力にこめられていた。なにからなにまで忘れてしまいたいという努力！　彼女は、恥ずかしさに、身も世もあらぬ気持ちだった。涙も出ないほどだった。そして、ひとつの新しい感情、恐怖の感情におしつぶされていた。自分自身にたいする恐怖の感情。

下に置きざりにされていたピュスのほえる声が聞こえた。ダニエルが帰ってきたのだった。

ジェンニーには、彼が鼻うたをうたいながら階段をのぼり、戸口のそばでちょっと足をとめるのが聞こえた。彼は、戸のかまちから光がもれていないので、妹はもう寝たものと考えた。だが、それならそれで、客間の灯火《ともしび》が、すっかりつけはなしにされているのはなぜだろう?……ジェンニーは、少しもからだを動かさなかった。彼女は、やみの中にひとりぼっちでいたかった。だが、兄の足音が遠ざかるのを聞くと、なんだか急にこわくなって、ベッドの上からはね起きた。

「兄さん」

手にしたランプの灯影《ひかげ》で、ダニエルは、妹のとり乱した顔つき、じっと見すえたひとみを見た。彼は、自分の帰りがおそかったので、妹がこわくなったのだろうと考えた。そして、その言いわけを考えはじめていたとき、妹はそれを押しとどめた。

「ううん、あたし気が立ってるの」と、うわずった声で彼女が言った。「兄さんのあのお友だち、どうしても帰ってくれないの。ついて来て、ついて来て、どうしても離れてくれないの!」その顔は、怒りに青ざめていた。そして、ひとことひとことをはっきりきざんで言った。やがて、さっと一抹の紅潮が彼女の顔にみなぎった。そして、急にさめざめと泣きだしたと思うと、がっくりベッドに腰をおろした。「そうなの、兄さん。あの人に言ってちょうだい……追っ払ってちょうだい……あたしだめなの、とてもだめなの!」

あっけにとられて彼は、妹をながめながら、ふたりのあいだに、いったい何事が起こったのか推察してみようとした。

「だって？……」と、彼はつぶやくように言った。ふとひとつの考えが頭をかすめた。だが彼には、その考えに形をあたえることがためらわれた。彼女の唇は、ぐっと斜めにひきつって、当惑したような微笑を浮かべた。

「ジャックのやつ」と、彼は探るように言った。「ことによると……」

語調にじゅうぶん意味がしめされていたので、その言葉は、しまいまで言われることを必要としなかった。彼は、ジェンニーがべつにふるえたりしていないこと、目を伏せて、どうでもいいといったようすをしているのを見てびっくりした。彼女は、じっと心を落ちつけようとしていた。長い沈黙。ダニエルが、もう返事を期待しなくなったほどの長いあいだをおいてから彼女が言った。

「そうかもしれないわ」彼女の声は、いつものちょうしにかえっていた。

《こいつも彼を愛しているんだ》と、ダニエルは思った。しかし、この結論が、いかにも思いがけなく心に浮かんだため、彼は、あっけにとられて、そのまま黙りこんでしまっていた。

ちょうどこのとき、ジェンニーの目と兄の目が会った。彼女は、はっきり、兄の考えを読みとった。彼女は、むらむらとした。その青い目はきらりと光り、顔のうえには突っかかるような表情が浮かんだ。そして、声を高めるでもなく、目をじっとダニエルの目にそそぎながら、きかん気らしい頭を振りふり、三度つづけてくり返した。

「ちがうわ！　ちがうわ！　ちがうわ！」

そして、ダニエルが、ぼんやりしたようす――だが、彼女には、まるで侮辱とでもいったようにつらく思われる兄らしい愛情、兄らしい心づかいで自分をながめているのを見ると、彼女は、つかつかと彼のほうへ歩いてゆき、兄のひたいの、さか立っている髪の毛を直してやり、いきなりほっぺたをピシャリとたたいた。「おばかさん、晩ご飯はすましてきた？」

九

アントワーヌは、パジャマ姿で、暖炉の前に立ちながら、波形をしたマレーふうのナイフで、プラム・ケーキのどてを切っていた。

ラシェルはあくびをした。

「厚く切ってね」と、彼女はものうさそうな声で言った。彼女は、両手を頭の下にあてがい、素裸のままベッドの上に横になっていた。

窓はあけ放たれていた。だが、ずっと下まで布の日よけがふさいでいるので、部屋の中には、日に照らされたテントの暑い影だけしかはいってきていなかった。パリは、八月の日曜の暑さに燃えていた。往来からは、物音ひとつあがってきていなかった。家自体もしんとしていて、おそらく一階上の住まいをのぞいて、人っ子ひとりいないらしかった。そこでは、例のアリーヌが、シャール夫人と、なおりかけの小さな病人の気をまぎらしてやろうと、高い声で新聞を読んでやっているにちがいなかった。病人は、まだ何週間か、横になっていなければならなかった。

「あたし、お腹《なか》がへった」と、ラシェルは、ねこのような桃色の口をあけながら言った。

「まだ湯がわいていないんだぜ」

「しかたがないわ！　ちょうだい」

彼は、ケーキの大きな一片を皿に入れた。そして、それを彼女のベッドのそばへ持ってきてのせた。女は、横になった姿勢のままで、上体をゆるゆるまわした。そしてからだをひじの上に立て、からだをぐっとあお向けながら、二本の指のあいだに菓子をつまむと、それを口の中に落として味わいはじめた。

「あなたは？」

「ぼくは、茶を待つことにする」と、彼は、ベルジェール（安楽椅子の一種）のクッションの中に身を落としながら言った。

「疲れた？」

彼は、微笑してみせた。

ベッドは低かった。そしてすっかりむき出しになっていた。ばら色をした絹のとばりは、寝間の奥にもっこりふくれていて、豪然と横になっているラシェルの裸形は、まるで寓喩的な人物といったように、透きとおった貝殻のくぼみに横たえられてでもいるようだった。

「もしぼくが画家だったらなあ……」と、アントワーヌはつぶやくように言った。

「あなた、たしかに疲れてるわ」と、ラシェルは、ちらりと微笑を浮かべて言った。「あなたが芸術家になるときは、それは疲れているときよ」

彼女は、ぐっと頭をのけぞらした。そして、その顔は、燃えるような髪の毛をしとねにして、小暗い影の中にかくれてしまった。真珠色したからだからは、光といったようなものが輝きだしていた。ぐったりと、ゆるくまげて投げだされた右足は、ふとんの中にふかぶかとうずまっていた。それとは逆に、もういっぽうの足は、ぐっと立てたまま折っているので、太ももの曲線がくっきり浮かび、日の光のなかに、ぞうげのような膝蓋骨を立てていた。

「お腹《なか》がへったわ」と、女はうめいた。そして、からの皿を取ろうとして彼が近づいたとき、女は、彼の首のまわりにたくましい両腕を投げかけ、顔をひきよせた。

「おお、このおひげ」と、女は、それでも彼を押しやりもせずに言った。「いつになったら取り払っていただけるの?」

彼は立ちあがって、不安そうな眼差しを鏡のほうへ投げた。そして、もうひとつ菓子を取りにいった。

「ぼくが、きみで一番好きなのはこれなんだ」彼は、むしゃむしゃ菓子を食っている女を見ながら言った。

「あたしの食欲?」

「きみの健康さ。血が豊かにめぐっているこの肉体さ！……このぼくだって、りっぱなからだをしている」彼は、また鏡のほうをさがし、そこに自分をうつしながら言った。彼は肩を張り、上体を立てて、大きくひろげてみた。彼は、顔の大きさにくらべて、肢体がどんなに脆弱であるかに気がついていなかった。彼はいつも、自分の肉体が、わざとつくった顔の表情とおなじように、潑剌としているものと想像していた。こうした力と充実との感覚は、この二週間以来、恋によってかもし出されたあらゆるもののおかげで、不遜といった気持ちにまで押しすすめられていた。「ねえ？」と、彼は結論をくだすように言った。「ぼくたち、ふたりとも、一世紀くらい生きるように作られてるんだな」

「いっしょに？」と、女は、そのやさしい目をなかば閉じながらつぶやいた。そのとき、ひとつの恐ろしい考えが彼女の頭の中をかすめた。それは、彼をいとしいと思っているこの気持ち、そのため自分が、こうまで幸福になっていられるその思いが、はたしていつまで保っていられるだろうという不安だった。

女は、目をひらき、両足にさわってみながら、両手を、そのぴちぴちした肉体にそってすべらせていった。そして言った。

「そう、あたしだったら、殺されたりしないかぎり、ずっとおばあさんになるまで生きられると思うわ。お父さんは七十二でなくなったの。それでいて、まるで五十代の人みたいにがっしりしていた。お父さんは、まったく思いがけないことから、日射病にやられて死んじゃった。そういえば、家《うち》の人は、みんな思いもかけないことで死ぬんだわ。兄さんもおぼれて死んだ。そして、あたしにしたところで、きっとまちがいごとで、ピストルかなんかで死ぬと思うわ。あたしいつでも、そんなことを思っていたの」

「お母さんは?」

「お母さん? 生きてるわ。会うたびごとに若くなるの。もっとも、生活が生活だから……」彼女は、べつに取りたてたちょうしも見せずにつけ加えた。「サント・アンヌにはいってるのよ」

「精神病院?……」

「まだ言わなかったかしら?」女は、言いわけでもするように微笑した。そして、悪びれたようすもなく言葉をつづけた。「お母さんは、もう十七年もあそこにはいってるの。はっきりおぼえていないくらい。だって、あたしが九つのときだったんですもの! とても陽気なの。なにも苦にすることなんかないようなの。歌をうたってるの……家《うち》の人たち、みんななかなかじょうぶなのよ……あ、お湯がわいてる」

彼は、こんろのところへ駆けつけた。そして、茶がせんじられているあいだ、小さな鏡台のほうへかがみこんで、ひげを手でかくし、それをすり落としてしまったときの顔を想像しようとした。彼には、顔の下にある、濃い毛の密集が気にいっていた。それは、長方形をした明るいひたい、まゆげのくせ、また眼差しに、堂々とした重みをあたえていた! それに彼は、まるで危険な秘密でも打ちあけるかのように、本能的に、口のあたりをむき出しにすることをおそれていた。

ラシェルは、茶を飲もうとしてベッドの上にすわり、タバコに火をつけ、それからまたひっくりかえった。

「ここへ来てよ。そんなところで、なにをすねてるの？」

彼は、快活に、女のそばへすべりこんだ。そして、女の顔の上に身をかがめた。乱れ髪のにおいが、寝間のほのぬくさの中で、彼のほうへのぼってきた。それは、刺激するような、と同時に、なんともいえずいいにおい、執拗な、いささかむかつかせるようなにおい。彼は、それを求めているようでいながら、またそれをおそれていた。というのは、それをあまり長く吸いこんだあとでは、それが、咽《の》喉《ど》の奥までしみ込んでしまうからのことだった。

「どうしたのよ？」と、女は言った。

「きみを見ているのさ」

「かわいい人……」

彼は、女の唇から身をのけると、たちまち前の姿勢にかえった。彼は、ものめずらしげに、じっとラシェルの目をのぞき込んでいた。

「なにを見てるの？」

「きみのひとみさ」

「そんなに見つかりにくいかしら？」

「そうなんだ。まつげというやつがあるんでね。それが、きみの目のまえに、まるで金色の靄のようにかかってるんだ。それが、きみに、ああしたようす……」

「どんなようす？」

「なぞみたい……なようすをあたえるのさ」

彼女は、肩をそびやかしてみせた。そして言った。

「あたしのひとみは青くってよ」

「そう思う？」

「緑青よ」

「じょうだんじゃない」彼は、唇をラシェルの唇にあてたと思うと、からかうように、すぐにそれをひっこめながら「きみのひとみは、ねずみ色でもあれば、モーヴでもある。あいまいで、断じてはっきりした色じゃない」

「ありがとう」女は笑いを浮かべていた。そして、その目を、右と左にぎょろつかせてみせた。

彼女を見ながら、アントワーヌは、こんなことを考えていた。《二週間……しかも、自分にはこれが何カ月かのように思われる。それでいて、おれには、女の目の色さえはっきり言えないだろう。さらに、彼女の素姓について、いったいなにを知ってるんだ？　二十六年間、おれとは別々に、おれのそれとまったく交渉のない世界で暮らしてきたこの女！　暮らしてきた、すなわちいろいろなこと、いろいろな経験をなめつくしてきたこの女。しかも、それはじつに不思議ないろいろなこと、そしていま、それが自分にもだんだんわかりかけようとしている……》彼は、自分でも、こうした発見をおもしろいと思う気持ちをみとめたくないと思っていた。そして、彼女にたいしても、さらにそれを見せたくないと思っていた。いままでついぞ、彼は女に、なにもたずねたことがなかった。だが、女のほうから喜んでしゃべってきかせた。彼は、その話に耳をかたむけ、それについていろいろ考えてみては、こまかな点や日付などを結びあわせ、なんとかしてわかってやろうとつとめながら、とりわけ、そしてひっきりなしに、びっくりさせられずにはいなかった。そして、それを表にあらわさないようにつとめていた。——自分自身を隠そうと思ってのことだろうか?——そうではない。彼は、久しいまえから、他人のまえでいつもなんでも知っているような態度をとっていた! 彼は、病人にたいしてのほかは、たずねるということを知らなかった。好奇心とか、驚きとか、そうしたものは、彼が自尊心から、あくまでのみ込んでいるような、注意しているといったようなようすのかげに、つとめて隠すようにしていた感情だった。

「あら、きょうはまるで知らない人でも見ているように、あたしをじっと見つめてるのね」と、彼女は言った。「いけない。もういいかげんにして!」

女は、いらいらしだしていた。女は、そうした探索からのがれようと、目をとじてしまっていた。

彼は、指で女のまぶたを上げさせようとした。

「もうよしてよ。だめ。あたし、自分の目の中を見られたくないの」女は、目のまえに、あらわな腕を折りまげながら、きっぱり言った。

「ではぼくに隠しだてしようっていうわけなんだな?」彼は、女のつやつやした美しい腕を、肩から手首のところまでキスしてやった。

《こいつ隠しだてする女だろうか？》と、彼は心にたずねてみた。《そうじゃない……ちょっと控えめにしているだけだ。だんじて隠しだてする女じゃない。むしろこいつは、喜んで自分自身を語っている。一日一日、おしゃべりにさえなっていく……つまり、おれを愛しているからなんだ》彼は、いい気持ちになってそう考えた。《おれを愛しているからなんだ！》

女は、彼の首のまわりに腕を投げかけ、またもや自分の顔へぴったりひき寄せた。それからとつぜん、まじめなちょうしで、

「そうなの。外に見せるっていうこと、たとい目つきでだけでも見せるっていうこと、とても想像できないわ！」彼女は口をつぐんだ。彼は、女の咽喉《のど》の奥に、彼女がよく昔話をするときに聞かせる、あの静かな、小きざみな笑い声をききつけた。「そうそう、それまで何カ月かいっしょに暮らしていた人の秘密をかぎつけたのも、たしかに目つき、ほんのちょっとした目つきのおかげだったわ。ちょうど食卓に向かっていたときだった。ボルドーの、あるお料理屋。ふたり向きあって腰かけてた。ふたりは、おしゃべりをしていた。ふたりの目は、お皿とたがいの顔のあいだを、行ったり来たりしていた。でなければ、ちらりと部屋の中を見まわしていた。するととつぜん——あたし、忘れようたって忘れられやしない——あたしのうしろのほうを、それもほんのまばたきするほどのあいだだけれど、じっと見つめているその人の目つきに気がついたの。しかも、その表情といったら……あんまり鋭い目つきなんで、あたし、どうしたのかと思って、われにもあらずくるりとうしろをふり向いたの……」

「で？」

「つまりあなたに」と、女はちょうしを変えて言った。「自分の目つきにお気をおつけなさい、って言いたかったのよ」

アントワーヌは、「ところで、その秘密って？」と、たたみかけてききたかった。だが、思いとまった。まの抜けた質問をしたりして、おめでたく思われることをなによりおそれていたからだった。彼はいままでにも二度三度、そうした質問をしたことがあった。するとラシェルは、驚いたような、おもしろがっているようなようすで、ちょっと人をばかにしたような笑いを浮かべながら、彼を見つめたものだった。そして、深い屈辱を感じさせられたものだった。

で、彼は黙っていた。すると、女のほうで言葉をつづけた。

「いろいろな昔のこと、思いだすと悲しくなるわ……キスしてよ、もっと。もっとしっかり」だが、彼女は、やはりそのことを思いつづけていた。その証拠には、彼女はさらに言葉をつづけた。「それに、あたし、あの人の秘密って言ったけれど、むしろ秘密のひとつって言ったほうがよかったんだわ！　あの人ときたら、あとからあとからいろんなことが出てくるんだから」

そして、女はいろいろな思い出からのがれるため、同時に、アントワーヌからの無言の問いかけをのがれるため、きわめてゆっくりと、からだに大きな波を打たせ、まるでからだを輪のようにしながら、くるりと全身を向きかえらせた。

「ずいぶんしなやかなからだだなあ！」彼は、純良種の馬をあやすとでもいったように、女をあやしながら言った。

「そう？　あんたご存じ？　あたし、オペラ座で、十年間、踊りのけいこをしたことがあるのよ」

「きみが？　パリで？」

「ええ、ええ。しかもやめたときには、上の組にはいっていた」

「よっぽどむかし？」

「六年まえ」

「どうしてやめた？」

「足のためなの」女の顔はちらりと曇った。「それからあたし、あぶなく曲馬師になるところだった」と、彼女は、ほとんどすぐに言葉をつづけた。「サーカスで。びっくりした？」

「いや」と、彼ははっきり言いきった。「で、どこのサーカスで？」

「もちろんフランスでのことじゃないわ。ちょうどそのころ、イルシュがほうぼう打ってまわっていた大きな国際的の曲馬団でなの。イルシュって、さっき話したその人よ。いまエジプト・スーダンに行ってるわ。その人、あたしの境遇を利用しようと考えたのね。でも、あたし、言うことをきかなかった！」女は話しながら、体操教師のような、調節のとれた巧みさで、双方の足を曲げたり伸ばしたりしてはおもしろがっていた。「あの人、ちょっと思いついたっていうわけなの」と、女は言葉をつづけた。「なぜって、あたしヌィイーで、むかしその人に少し軽わざをやらされてたもんだから。軽わざ、とても好きだったわ。すてきな馬がたくさんいた。つまりそれを利用したの」

「ヌィイーに住んでたのか？」

「あたしじゃない、その人なの。そのころ、ヌィイーの調教場の持ち主だった。その人、馬が大好きでね。そしてあたしも。あなたは？」

「少しは乗れる」と、彼はからだを起こしながら言った。「だが、なにしろ機会がなかったんで。それに、ひまもなかったし」

「あたしには機会があったのよ。しかもたくさん！　あるときなんか、二十二日間も乗りつづけた！」

「どこでの話だ？」

「ブレッド（北アフリカの起伏地）のまんなか、モロッコよ」

「モロッコへ行った？」

「二度ばかり。イルシュが、南部のアルカ（モロッコの暴徒）にグラ製の古い鉄砲を売ってたの。文字どおりの冒険だったわ。ある日、あたしたちのテント部落は、物すごい襲撃をうけたの。あたしたち、一日ひと晩戦った……じゃない、ひと晩ずっと、めくらめっぽうに（こわかったわ）、それに、あくる日の午前中ずっと。夜おそって来ることはめずらしいのよ。あたしたちの人夫は、十七人殺され、三十人以上負傷した。あたし、撃ち合いがはじまるごとに、箱のあいだに身を伏せていた。それでも少しやられちまった」

「やられたって？」

「そうなのよ」と、女は笑いながら言った。「ほんの少し、かすり傷」女は肋骨の下、胸のくくれたあたりにあったかすかな傷あとを見せた。

「どうして馬車から落ちたなんて言ったんだ？」アントワーヌは、微笑もして見せずにそうたずねた。

「だって！」と、女は肩をすくめてみせながら言った。

「お会いして、まだまのないころのことですもの。自分に興味を持たせるために言ってるように思われやしないかと思って」

ふたりは黙りこんだ。

《ではこいつ、おれに嘘がつけるのかな？》と、アントワーヌは思った。

ラシェルの目は、さも夢みるようになったかと思うと、やがてまたもや輝きだした。それは、憎悪の光とでもいったように思われたが、それもたちまち消えてしまった。

「あの人、あたしが、どこへでも、またいつであろうと、自分について来るものと思っていたのよ。あの人、思いちがいをしていたのよ」

アントワーヌは、女が、自分の過去に向かって、こうした恨みがましい眼差しを投げることに、何かしらはっきりしない満足の気持ちを感じていた。彼は、女に《ぼくといっしょにいるがいい、永久に》と言ってやりたいと思っていた。彼は、女の傷あとに頬をあて、しばらくじっとそうしていた。われ知らず職業的になっていた彼の耳は、よく響く女の胸の奥に、あわ立つような、おっとりとした行き来の音を追っていた。そして、はるかに、だがはっきりと、しっかりした心臓の鼓動を感じていた。彼の小鼻はぴくぴく動いていた。あたたかいベッドの中、ラシェルの全身は、その髪の毛とおなじにおいをはなっていた。だが、それは、ずっとつつましやかなものであり、そこには、微妙なちがいがあるようだった。酔わすような、それでいて、なにか気の抜けたような、そして、ぴりりとしたところのあるにおい、それは、しめったようなにおいだった。そして、いかにも調和のないにおい、上等のバターのにおい、くるみの葉のにおい、板割りのにおい、ヴァニラの味をつけたプラリーヌ（砂糖焼はたんきょう）のにおいを思わせた。それは、においというより、むしろ発散するものといった感じ、ないし味とさえいえそうに思われるところのものだった。というのは、唇に、なにか香料の味といったようなものが残っていたからだった。

「もうこんな話はやめ」と、女は言った。そして「タバコをちょうだい……ちがうわ、机の上の新しいのを……あたしのお友だちが巻いてくれるのよ。マリーランド（マリーランド州産のタバコ）に少し緑茶をまぜて。枯葉をたいているにおい、野天の野営とでもいったような、秋とか、狩りとかを思わせるにおい。林の中で鉄砲を打って、靄の中に煙がなかなか消えずにいるときの火薬のにおい、ね？」

彼はふたたび、輪をかいて立ちあがる煙の中、女のそばに横になった。彼の手は、ラシェルの腹のあたりをなでていた。すべすべして、ほとんど燐光を思わせるような白さ、そして、わずかにばら色がさしていた。ろくろでけずった鉢のような、いかにも大きな腹、女は、さだめしそのいくたびかの旅行の結果、東洋ふうなにおいをとどめているのにちがいなかった。そして、女の肌には、まるで子供のからだに見られるようなさわやかさ、まだ情を解するまでにいっていないものの清潔さ、とでもいったようなものが残っていた。

「Umbilicus sicut crater eburneus(《なんじの腹は象牙の壺のごとし》)」と、彼は、十六歳のころ、大いに心を動かされた『雅歌』の一節を、記憶をたどってどうやらこうやらつぶやいてみた。「Venter tuus sicut……ええと……sicut cupa!(《なんじの腹は杯のごとし》)」

「それ、いったいなんのこと?」女はなかば起きあがりながらたずねた。「ちょっと待って、あたしにあてさせて。Culpa(《罪》。cupa(杯)とあったのを聞き誤ったもの)あたし知ってるわ。mea culpa(わが罪)なんて言うわね。あやまち、とか、罪とかいう意味でしょう? なんじの腹は罪悪なり」

彼は、からからと笑いだした。女のそばで生活しだしてからの彼は、女の快活さを圧迫したりしないでいた。

「ちがうさ。cupa なんだ……なんじの腹は杯のごとし、さ」と、彼は、ラシェルの脇腹に頭を押しあてながら訂正した。そして、さらにそのあてずっぽうの引用をつづけた。「Quam pulchræ sunt mammæ tuæ, soror mea! 我が妹子《いもこ》、なんじの乳房は美しきかな! Sicut duo (なぜだかわからないが) gemelli, qui pascuntur in liliis! あたかも百合花《ゆりばな》の中に食《は》む二頭の子やぎのごとし!」

女は、乳房を、かわるがわるそっともちあげた。そして、しんみりした微笑を浮かべながら、まるで忠実な二頭の子やぎとでもいったようにそれをながめていた。

「これ、とてもめずらしいのよ、ばら色の乳首。まったくばら色のやつ、りんごの花のつぼみといったようにばら色のやつ」と、女は大まじめなようすで言った。「あなたはお医者さまだから、気がついてた？」

彼は答えた。

「そうなんだ。色素性顆粒のない皮膚っていうやつ。とても白くって、それでいて、ちょっとばら色のさしているやつ」彼は目をつぶって、できるだけ女のからだにくっついた。「ああ、きみの肩ときたら……」彼は、夢でも見ているような声で言った。「ぼくには、あの走りづかいの小娘どもの、あの寒そうな肩を見るのがたまらないんだ」

「そう？」

「このぽちゃぽちゃした肉づきはどうだ……よくしまった、美しいくれかたときたらどうだ……シャボンみたいなこの肌……好きだなあ。じっと動かずに。いい気持ちなんだ」

このときとつぜん、彼は、ひとつのきわめて苦しい思い出に心を打たれた。《シャボンのような肌……》それはデデットが奇禍にあってまもないころ、ある晩、ダニエルといっしょにメーゾン・ラフィットから帰って来るときのことだった。車室の中はふたりきりだった。ラシェルのことしか頭になかったアントワーヌは、このわけ知りの青年に、やっとわが身に起こったうわきのことを聞いてもらえるうれしさから、道中、ダニエルに向かって、あの悲痛な徹夜をしたときの話をしてやらずにはいられなかった。息をひきとるまぎわにやった手術のこと、少女のまくらもとで不安な気持ちで待っていたときのこと、ディヴァン（一種のふとん椅子）の上、自分に身を寄せて眠っていた、美しい褐色の髪の女にたいしての突発的な欲情のこと。そして、そのとき彼は《ぽちゃぽちゃした肉づき……シャボンのような肌……》と、おなじような言葉を用いていた。だが彼には、それから先を話せなかった。そして――明け方、シャール氏の住まいの階段をおり、ラシェルの部屋の戸のあけ放されているのを見たところまで来ると――彼は遠慮してというより、むしろ青年に、自分の意思の堅固なところを見せてやりたいといったばかげた考えから、つぎのように言ってのけた。「女は、ぼくを待っていたのだろうか？　ぼくは、その機会を利用すべきだったのだろうか？……なにしろぼくは、自分というものをしっかりおさえた。ぼくは見ないふりをした。そして、そのままそこを通り抜けた。ところできみだったらどうする？」するとそれまで黙って聞いていたダニエルは、じっと彼の顔を見つめてから、みごとに一発ぶっ放した。「ぼくも、ちょうどあなたのようにしたでしょう。――嘘つきさん！」

アントワーヌの耳の中には、まだそのときのダニエルの声が残っていた。あざわらうような、懐疑的な、つっかかるようなその声。だが、そこにはちょうどほどよい快活さが残っていて、どうしても悪くとるわけにいかなかった。そして、思いだすごとに、その思い出に、心を刺されていた。《嘘つきさん……》そうだった、彼はときおり嘘をついた。というより、嘘をついてしまうのだった。

《ぽちゃぽちゃした肉づき……》と、ラシェルのほうでも考えていた。

「あたし、たぶんでっぷりふとった女になると思うわ」と彼女は言った。「ユダヤ人ていうものは……でも、お母さんはユダヤ人ではなかったの。あたし、半分だけユダヤ人。ああ、いまから十六年まえ、ちょうど予備科にはいったころのあたしを見せたかったわ！　色の子ねずみそっくり……」

彼がとめようとするまもなく、女はベッドをすべりおりていた。

「どうしたんだ？」

「思いついたことがあるの」

「聞かせろよ」

「やめたほうがいいと思うわ」と、女は笑いながら、そして、差し出された腕を逃げながら言った。

「ルルー！（ラシェルの愛称）……おいでよ。寝にこいってば！」彼は、なさけない声でつぶやくように言った。

「もう寝るのはやめ。これからお召しかえ」と、女は、部屋着に手を通しながら言った。

女は、自分の机のところに駆けよって、それをあけると、写真のいっぱいはいっている引き出しを手にした。そして、ベッドのふちへ帰って来ると、両ひざをそろえたうえに引き出しをのせて、腰をおろした。

「あたし、昔の写真が大好き。たびたび写真をいっぱい手に持って、それといっしょに横になるのよ。そして何時間も何時間も、あれやこれやと取り出してみるの。そして、あたし考えるの……じっとしていて……ほら、これを見て。あなた、退屈じゃない？」

彼女のうしろ、横になってうずくまっていたアントワーヌは、好奇心に動かされて起き直り、からだを楽にしてひじをついた。彼は、写真の上にうつむきこんだラシェルの横顔をながめていた。りこうそうな顔だち、その顔のうえを、頬の上まで伏せたまつげは、黄色っぽい一線で、切れ長な目のふちをとっていた。あわただしくかき上げられた、彼から見て逆光線になっている女の髪は、ほとんどオレンジ色の、荒絹糸のかぶとでもいったように見えていた。だが、女が首を動かしたりすると、こめかみや首筋のあたりに、たちまち火花が散りでもするようだった。

「そら、これよ、あたしのさがしていたの。ね、このかわいらしい踊り子？　これがあたし。あたしこの日、すそ飾りをくしゃくしゃにしてぼやかれてたにちがいない。こうして、壁のところにくっついて、それをくしゃくしゃにしてしまったものだから。あたしだってわかる？　肩の上に髪をたらし、ひじをはって、そして、ブラウスときたらぺったりしていて、ほとんど切りこみといったようなものさえない。どう、このあたし、とてもうれしそうに見えない？　あたし、このとき、もう三年生になっていた。足が、ずっとよくなってきていた。ほら、これがおけいこ場。あたしたち、棒《バー》につかまってるでしょう？　あたしだってわかる？　そう、それなの。そして、これがルイーズ。わからない？　ほら、あの有名なフィティー・ベラ。あたしと同期生で、そのころ、ただルイーズっていってたの。ルイゾンともいってたわ。あたしたちふたり席順争いをしたものだった。静脈炎さえなかったら、あたしだって、いまごろ一流のスターになってたかもしれやしない。……あ、あなたイルシュっていう人、見たくない？　見たい？　ほうら。どう思って？　こんな年寄りじゃないと思っていた？　まさに堂々たる五十がらみの男なのよ。それはそれはたくましい男！　この首を見てよ。この太い襟首、まるで肩の中にめり込んでるわ。首をまわすと、からだ全体がくっついてまわるの。はじめ見たときは、まるで、さあ、博労《ばくろう》か調馬師みたい。そうじゃなくって？　この人の娘さん、いつもこんなふうに言ってたわ、《パパはまるで奴隷商人みたい》って。この人、それを聞いて笑ったものよ。心の中で、とてもおかしくってたまらないといったように。なにしろ見てよ、この頭、大きな、かぎなりの鼻、口もとのしわ。みっともないけど、ともかくただものではないといった感じの男。しかもこの目！　さ、なんていっていいかわからない、でもこうした目さえなかったら、もっと荒々しい男に見えたでしょう。なんて自信のある、なんでもやってのけそうな、荒っぽいようす。どう？　荒っぽい、そして、肉感的な。しかもこの人、どんなに生きることが好きだったろう！　あたし、この男をきらいになろうとしてもだめだった。ほら、犬の話をするときのように、ついこんなふうに言いたくなるの、《みっともないところがりっぱだ》って。そう思わない？……そら、これがパパ！　お針子さんたちに取り巻かれたパパ。いつもこんなかっこう、白い小さなあごひげ、ワイシャツ一枚、そしてはさみを腰にぶらさげながら。布が三枚、ピンが四本ありさえしたら、たちまち衣装ができあがるのよ。これは仕事場でとった写真。ほうら、奥のほうに着物をきせた胴体模型《マヌカン》、壁にひな形が見えるでしょう？　パパは、オペラ座の衣装師になってたの。そして、それからっていうもの、なにもほかの仕事をしなかった。ゲプフェルおやじの評判、いまでもオペラ座の人たちに聞いてみてよ。お母さんを病院に入れ、あたしとふたりきりになったとき、パパは、あたしがいっしょに仕事をしてくれることとばかり思っていた。そして、自分の職場も、あたしに残せると思っていたの。とてもたいした収入だったの。論より証拠、あたしいま、こうしてなにもしないで暮らしていけてる。でも、わかるでしょう、女の子が、女優さんたちでいっぱいになってる仕事場ばかり見ていたら！　あたし、たったひとつ、踊り子になることよりほかに頭になかった。パパは、好きなようにさせてくれた。パパは自分で、あたしをストーヴおばさんにあずけてくれたの。そして万事うまくいくのを見て、パパはうれしがっていてくれたの。パパはたびたび、あたしの行く末のことを話していた。そのあたしが、こんななんでもない女になったのを見たら、いったいパパはなんて言うかしら！　なにもかもあきらめなければならなくなったとき、あたし、泣けて泣けてたまらなかった。女の人って、一般になんの希望も持たず、ただ漫然と生きてゆく。ところが劇場にいるあたしたちときたら、成功したい一心で、武者ぶりつく、たたかう、そしてそのたたかうということ自体がおもしろくなってくる。少なくとも成功というのとおなじ程度に。だから、いったんそうした生活をやめ、一般の人たちとおんなじように暮らし、目の前に、将来もなにもなくなったとなると、なんともいえずたまらなくなるの！……ほら、これ旅行に行ったときの写真。みんなごちゃごちゃにいれてあるのよ。これ、どこだか忘れたけれど、カルパチアの山の中でお昼ご飯をたべてるところ。イルシュは、猟をしに行っていたの。ほら、はしをたらした大きな八の字ひげをはやして、まるでサルタンみたい。殿下は、あの人のことを、いつもマホメットって言ってらしった。見えるでしょう。あたしのうしろに立っている、日焼けしたのがピエール殿下。あとでセルビア王におなりだったわ。手前のところに寝ている白い二匹のグレイハウンド、これ、殿下があたしにくだすったの。あなたみたいに寝ているわ。あなたそっくり……それから、ここに笑ってる人、これあたしに似ていると思わない？　よく見てよ。似ていない？　でも、これがあたしの兄さん。そう、兄さんなの。パパのように、黒い髪をしていた。あたしはママに似てブロンド……――ブロンド、つまり濃いブロンド！　いやな人！　そうよ、栗色でもいいことよ！　でも、気持ちのほうはあたしパパから受けていて、兄さんはママ似。ほら、こっちの写真にもっとはっきりうつってるわ。……ママの写真は一枚もないの。パパがみんなやぶいちゃった。パパは、けっしてママのことを話さなかった。病院にだって一度もつれてってくれなかった。それでいて、自分では一週に二度、しかも九年間というもの、一度も欠かさず行っていた。病院の看守さんが、あとから話してきかせてくれたの。ママの前に腰をかけて、一時間も、ときによるともっと長いこといたんですって。しかも、それがなんにもならなかったの。なぜって、ママにはパパがわからなかったんだから。パパであろうと誰であろうと。でもパパは、とてもママを愛していた。パパは、ママよりずっとずっと年上だったの。パパには、あのとき当惑したことが、なんとしても忘れられなかった。あたし、よくおぼえてる。ある日の夕方、ママがつかまえられたって、仕事場にいるパパを呼びにきたの。そう、ルーヴル（大百貨店の名）でのことだった。陳列棚の、なにか雑貨を盗んだの。オペラ座の衣装係の奥さん、ゲプフェル夫人ともあろう人が！　マフの中から、男物の靴下や、子供用のセーターが出てきた！　でも、すぐ釈放してもらえてね、窃盗狂とかいうんですって。それ、あなた知ってる？　それがママの病気のはじまりだったの……ところで、兄さんは、とてもママの性質を受けていた。そして、おそろしい事件、銀行事件なんかをひき起こしたの。それには、イルシュも関係していた。兄さん、もしあんなことにならなかったら、いつかはきっとママのようになったと思うわ……あ、それはだめ……見ないでよ！　だめ、あたしじゃないって言ったら！　これ……小ちゃな女の子なの、もう死んじゃったの……それよりも、ほらこれを見て。これ、あの……タンジェ（ジブラルタル海峡に臨んだモロッコの港）の入口のところ……だめよ、そんなものは忘れちまって。もうすんじゃった。ね？　あたしもう泣いてなんぞいないでしょう……ブバナの平野。シ・ゲバのメアラ（北アフリカのさばくの野営地）で野営をしているところ。そしてこれ、シディ・ベラベスのフイフイ教のお堂のそばにいるあたし。奥のほうに、マラケシュ（モロッコの都）が見えるでしょう……そら、これは、ミスーン・ミスーンの近所。それともドンゴだったかな、忘れちまった。このふたり、ゼム族の酋長。写真をとるのに骨をおったわ。なにしろ食人種なんでしょう。そうよ、いまもいるのよ……ああ、これ、おそろしいわ。見えない？　見えるじゃないの、それこの石の山。見えたでしょう？　その下に、女がひとりうずめられているのよ。石で打ち殺されて！　ああこわい。しかもそれが、なんの理由もなく、三年間ものあいだ、旦那さまから置いてきぼりにされたきのどくな人なの。旦那さまは逐電したの。で、死んだと思って再婚したの。ところが、再婚して二年すると、旦那さまが帰って来た。重婚は、この部落ではとても重大な罪としてあるの。それで、女の人は石で打ち殺されてしまったの。イルシュは、わざわざそれを見ようとして、あたしをむりに、メシェッドからひっぱってったの、でもあたし、無我夢中で五百メートルも離れたところへ逃げちゃった。おしおきの朝、あたし、村を引きまわされている女を見た。そして、もうそれだけで病人みたいになっちゃった。ところがイルシュは、なにからなにまで見ていたの。あの人は、最前列に出たがってた……穴が、深いふかい穴が、ちゃんと掘られていたらしいの。そして、女の人をひっぱって来た。すると、女の人は、自分でその中へはいって横になった、なにひとこと言わずに。想像できる？　なにひとこと言わずに。だが、群集のほうはわめきたてていた。あたし、ずいぶん遠くにいたんだけれど、殺せ、殺せって、わめきたてているのが聞こえていた……最初に石を投げたのは部落の大和尚《おしょう》。まず宣告文を読む。そして、一番に大きな石を手にして、力まかせに穴の中へ投げ込んだ。イルシュの話では、女の人、なにひとつさけんだりしなかったって。これがきっかけで、今度は群集がやりだした。ちゃんと用意した石の山があって、そこから石を取っては、穴の中にほうり込む。イルシュは、自分だけは誓って投げなかったって言ってたわ。穴をうめると（しかも、ふちから盛りあがるほどうめてしまうと）、今度は、わいわいわめきながらその上を踏む。そして、それを済ますと行っちゃった。そのときイルシュは、写真を取ろうと、むりやりあたしにこいと言ったの。というのは、あたしが写真機を持ってたから。いやでも行かなければならなかった……ああ、考えただけでもぞくぞくするわ。女の人が下にいるんでしょう、死んで——そしておそらく……あ、だめ、それよして！」

ラシェルの肩越しに首を差しのべていたアントワーヌには、ただからみ合った裸の手足以外は見えなかった。ラシェルはとつぜん、彼の目の上に手をあてた。そして、まぶたの上に感じられる彼女の手のひらのぬくもりは、たといあれほどの緊張は見られないながらも、しかもまったくおなじ感じで、歓楽のおり、上気している自分の顔を愛人の目からかくそうとするときの女の動作を思いださせた。彼は、じょうだんのように身をもがいた。と、女はすでに、いっしょにたばねたひと握りほどの写真をペニョワールの胸にだいて、ぴょんととびして起きあがっていた。

女は机のところへ走っていった。そして、笑いながら、たばねた写真を引き出しに入れ、それにピシンと鍵をかけた……

「それに、これあたしのじゃないの」と、彼女は言った。「あたしの自由にならないの」

「じゃあ誰のだ？」

「イルシュの」

女は、もどって来てアントワーヌのそばに腰をおろした。

「これからはききわけをよくするのよ、約束できる？　さあ、つづき。でも、あなた退屈しないかしら？……ほら、これもまた探検の写真……サン・クルーの森へ驢馬で出かけたときのもの。ほらね、この時分から、キモノのようなそでの着物を着はじめたのよ。あたしの着物、なんてスマートだったでしょう！……」

＋

《あたしはいつも自分自身を欺いている》と、フォンタナン夫人は考えていた。《もし自分自身にたいしてもっと率直だったら、希望を持ったりはしないだろうに》

客間の窓のひとつのそばに立った彼女は、網目織のカーテンも上げずに、庭の中を行ったり来たりしている夫とダニエルとジェンニーのすがたを、しばらくその目で追っていた。

《心の正しい人たちが、よくまあ平気で嘘の中で暮らせるものだ！》と、彼女は思った。だが、彼女は、自分がしばしば微笑をもらさずにいられなくなるのとおなじように、ときおり心の中に、まるで潮のように、幸福な気持ちの上がってくるのをおさえることができなかった。

彼女は窓を離れて、テラスに出た。時はいま、物の輪郭を見きわめようとすれば目が疲れそうな時刻だった。空はしわだって、そこにはすでに淡いいくつかの星影があらわれていた。フォンタナン夫人は、椅子に腰をおろした。彼女の眼差しは、ちょっとのあいだ、いつも見なれた地平のほうをさまよった。彼女はためいきをついた。彼女には、ジェロームが、これまでの二週間のように、このさき自分のそばで暮らしつづけないであろうことがわかっていた。彼女には、ふたたび見いだされた家庭生活が、またもやはかなくついえ去ることがわかっていた！　彼女は、自分にたいするジェロームの態度、そのいかにも親切を見せた愛情の中に、何かしらおそれのまじったうれしさの気持ちで、かつての彼を見いだしたりはしなかったろうか？　それこそは、彼が少しも変わっていないこと、これまでにもたびたびやったように、もうじきここを出て行くことの証拠ではないだろうか？　彼はすでに、彼女がオランダからつれて帰ったときの彼、あの老い、衰え、難破したように彼女にすがりついているときのジェロームではなかった。彼女とさし向かいになるが早いか、しかられた子供のようすを見せていながらも、そして、死んだ女のことを思いだしては、あきらめたような、もっともらしいためいきをついていながらも、早くもトランクの中から夏服を取り出し、自分でもそれと気づかず、いかにも若やいだ顔を見せていた。きょうの午前も、昼食まえに、「ジェンニーを迎えに、クラブまで行ってごらんになりません？　少し運動にもなりましょうし」と、彼女に言われたとき、たいして気のりもしないが、せっかくだからといったようすをしてみせた。それでいて、二度とすすめられるのも待たずに立ちあがった。そして、しばらくすると、白いフラノのズボンをはき、はでな背広の胸をはって、足早に出て行く姿が見られた。しかも、彼女は、通りすがりにジャスミンを一茎、ボタンの穴にさそうとして摘み取っている彼を見のがさなかった。

ちょうどそのとき、ダニエルは、母がひとりでいるのを見てとって、彼女のそばへやって来た。夫が帰って来てからというもの、夫人は、息子の前で、何かちょっと気まずい思いを感じていた。ダニエルのほうでも、それに気がつかないことはなかった。そうしたわけで、彼はいままでよりもひんぱんにメーゾン・ラフィットに帰って来た。そして、いままでにないほどの熱心さをしめすことによって、自分にもいろいろわかっていること、それについてべつになんの不服もないことをわからせようとしていた。

彼は、きわめて低い安楽椅子、彼の好きだった布製の安楽椅子の中にからだを伸ばし、タバコに火をつけながら、母親に向かって微笑してみせた。(その手といい、ようすといい、なんと父親そっくりだろう!)

「おまえ、今夜すぐ帰るんじゃないだろうね?」

「でもねえ、ママ、あした早く人と会う約束があるんだ」

彼は、自分の仕事について話しはじめた。それは、彼としてはめずらしいことだった。彼は、秋までに、ヨーロッパにおける最新の画派を網羅した『美的教育』の特別号を準備しているということだった。そして、その号を飾るため、数々の複製を選ぶことが、おもしろくてたまらないというのだった。だが、話はそこで終わってしまった。

しんとした中に、夕暮れのつぶやきが満ちていた。そして、そのうえを越しては、テラスの下のあたり、森のソ・ドゥ・ルーの中で鳴くこおろぎの声が聞こえていた。樅の茂みをわたり、砂の上にすずかけのすじばった落ち葉や樹皮などの音を立てさせている微風の中には、ときおり、何かしら焼けつくようなにおいが吹きかよっていた。こうもりが一匹、あわただしい、柔らかな羽ばたきをひびかせながら、フォンタナン夫人の髪をかすめていった。夫人は、思わず軽いさけび声を立てた。

「日曜には帰っておいでかい？」と、彼女はたずねた。

「ええ、あした帰って来て、二日こっちにいようと思うんです」

「おまえ、あのお友だちをお昼飯におよびしたらいいじゃないの……あたし、きのう村でお会いしたんだよ」彼女は、さらにつぎのようにつけ加えた。（それは、彼女が実際そう考えていたからのことでもあり、また、アントワーヌにみとめられたように思われる長所をジャックにもみとめたからのことでもあり、さらにはまた、ダニエルを喜ばせようとしてのことでもあった。）「なんというまじめな、なんというりっぱなお子さんだろう！　長いこといっしょに歩いたんだよ」

ダニエルは、さっと顔を曇らせた。彼は、ジャックと森を歩いた晩、ジェンニーが異常に興奮していたことを思いだした。

《かわいそうな妹よ、生まれそこなった、スタートをあやまった、均衡のとれない哀れな魂よ》と、彼は悲しそうに考えた。《内省や、孤独や、読書によって、あまりにも成熟しきっている……それでいて、人生についてはまったくの無知だ！　おれにはなんともしかたがない！　いま、彼女はおれというものを少し疑いはじめている。あれで、健康だけでも、せめてしっかりしていてくれたら。ところが、まるで小娘のような神経なのだ！　それにあのロマンチスム！　ともすれば、自分が人にわかってもらえないように思いたがり、そして、頑強に自分を語ることを拒みつづけている！　あらゆるものを毒してのける、はっきりしない傲慢心といったようなやつ！　おとめ時代の名残りとでもいったようなものならいいんだが？》

彼は席を変え、ずっと母親のそばへ寄って腰をおろした。そして、気休めのつもりでこう言った。

「ねえママ、ママにたいするジャックの態度に、なにか気のついたことはありませんでしたか？それに、ジェンニーにたいする態度についても？」

「ジェンニーにだって？」と、フォンタナン夫人はくり返した。ダニエルの口をもれたこの言葉は、たちまち、彼女の心にひそんでいた不安に形をあたえた。不安？　いな、おそらくそれほどのものではなかったろう。それは、なにか、取りとめのない感じといったようなものだった。それは、彼女の極端な感受性が、はっきりそれとつかむことなく、ただそれらしいものを感じとったものにすぎなかった。するとたちまち、彼女は、たまらなく苦しい気持ちになってきた。わき起こる興奮から、彼女の心は、神のほうへ押しあげられていった。《われらを見捨てたまわざらんことを！》と、彼女は祈った。

散歩に出たふたりがかえって来た。

「きみ、なにも羽織っていないじゃないか?」と、ジェロームがさけんだ。「気をつけないといけないぜ。いつもにくらべて、きょうの夕方はずっと涼しいようだから」

彼は、玄関にはいって行った。そして、そこからショールを持ってくると、それで妻の肩を包んでやった。ついで、ジェンニーが、砂の上を籐の長椅子を引きずっているのを見ると、急いで駆けつけ、それを据えるのをてつだってやった。ジェンニーは、食事のあと、いつもその長椅子に腰かけるように言われていた。そして、それは、いままですずかけの木のかげにおかれていたのだった。

彼にとって、こうした狂暴な鳥をならすことは、ちょっと手にあまる仕事だった。ジェンニーは、ごく小さい時分、ずっと母の膝下《しっか》で暮らしつづけていたため、母親の悩みの反動といったようなものを受けていた。そして、きわめて年のいかないうちから、父親にたいして仮借ない判断をくだしていた。だがジェロームのほうでは、こんなにも変わった、ほとんど女になりきったジェンニーを見てうれしくてたまらず、いかにも愛想よく、同時に、いかにも遠慮しいしい親切をつくしてやり、彼女にたいして、いかにも行きとどいたやさしさのかぎりをしめしていたので、彼女のほうでも、そういつまでも、むとんじゃくでいるわけにいかなかった。きょうしも、父と娘とは、なんの警戒もなしに、まるで、ふたりの友だちといったように語り合った。そして、ジェロームは、いまもその感動に心をふるわしていたのだった。

「きみ、きょうの夕方、きみのばら、とてもよくにおってるぜ」彼は、揺り椅子の動きに身をまかせながら言った。「鳩小屋のところの《ディジョンの栄え》なんか、まるで木全体がひとつの花だ」

ダニエルは立ちあがっていた。

「時間になりました」と、彼は言った。そして、母に近づいて、そのひたいにキスをした。

彼女は、両方の手で青年の顔をかかえ、ちょっとのあいだ、じっとそばに引きよせてながめたあとで「おまえ！」と、つぶやくように言った。

「どうだ、お父さんが停車場まで送ってやろう」と、ジェロームが言った。午前中の散歩は、二週間というものそこに引きこもりづめだったこの庭から、少し逃げだしたいような気持ちをそそりたてたのだった。「ジェンニー、おまえもこないか？」

「あたし、ママのところにいるわ」

「あ、タバコを一本くれないか」と、ジェロームは、ダニエルの腕をつかみながら言った。（帰って以来、タバコを買いに出ようとしなかった彼は、ずっとタバコなしですましていた。）

フォンタナン夫人は、遠ざかっていくふたりを見送っていた。彼女の耳には「駅へ行ったら東洋タバコがあるかしら」と、たずねているジェロームの声が聞こえてきた。ついでふたりは、樅の木かげに見えなくなった。

ジェロームは、せがれであるこのりっぱな青年の腕を、しっかり自分のからだにあてってだきしめていた。あらゆる若いもの、それは彼に、なんというはげしい魅力の種だったろう！　だが、その魅力のかげには、なんとかずかぎりない痛恨の思い出があったことだろう。メーゾン・ラフィットにいるようになって以来、それこそは、彼にとっての毎日毎日の苦しみの種だった。ジェンニーの姿は、見るたびごとに、彼の心に、彼自身の青春にたいしてのノスタルジアを目ざめさせた。けさも、テニスコートで、どんなに苦しい思いをしたことだろう！　そこにいる明るい目をした若い男女の誰も彼もが、運動をしたので髪をふりみだし、シャツの襟をはだけ、着物も乱れてはいたものの、その勝ち誇るような若さの美しさは、少しも変わっていなかった。日を浴びて、そのどれもがしなやかな肉体。汗さえもきわめてすがすがしく、健康的なにおいを発散させていた！　ああ、そこですごした十分間、なんとむごたらしい、年齢による力の剝奪を感じさせられたことだろう！　こうして自分が、自分自身にたいし、萎靡《いび》と不潔と臭気と老衰と、すなわち、すでに自分の中にはじまりかけている人間最後の分解の前駆的徴候たるところのものにたいして、こうして毎日たたかっているという事実を思ったとき、なんと恥ずかしく、なんとおそろしく思わせられたことだろう！　そしていま、自分のぎごちない動作、せわしない息づかい、また敏捷でありたいとねがう努力を、せがれのぴちぴらした足取りとくらべてみた彼は、とつぜんせがれの腕を放し、思わず羨望のさけびをあげずにはいられなかった。

「二十代のおまえがうらやましいなあ！」

フォンタナン夫人は、ジェンニーが、はっきり自分のそばにいたいと言ったとき、べつに反対しようとはしなかった。

「くたびれているようね？」夫人は、ふたりきりになるとこう言った。「いって横になったらどう？」

「ふん」と、ジェンニーは言った。「もうずいぶん夜が長くなったのよ」

「おまえ、このごろよく眠れない?」

「あんまり」

「どうして?」

この言葉にあたえたフォンタナン夫人の口調には、普通の意味を立ちこえたものがあった。ジェンニーは、はっとして母をみつめた。そして、彼女にはすぐに、母がなにか思うところがあってたずねていること、そして、自分の説明を求めているということが見てとれた。彼女は、本能的に、身をかわそうと決心した。それはなにも、彼女が隠しだての好きな女だからのことではなかった。人からそうしむけられたと思うやいなや、自分を見せたくなくなるからだった。

フォンタナン夫人には、いつわることが不得手だった。彼女は、娘のほうを向き直り、薄暗くなってきた夕暮れの影の中に、はっきり娘の顔を見つめながら、自分の慈愛の眼差しによって、ふたりのあいだにこうまで大きな距離をつくっている、ジェンニーのこわばった気持ちをやわらげてやろうと考えた。

「ふたりきりだから言うんだけれど」と、夫人は、軽く頼みこむとでもいったようなちょうしで言った。それはさも、水入らずのふたりの中に、父が帰って来たことによってひき起こされたざわめきの、そのわびをしてでもいるようだった。「わたし、ひとつ話しておきたいことがあるの……それは、わたしがときどき会ったチボーさんの弟さんのことなんだがね……」彼女は言葉を切った。彼女はまわり道をせずに話の主題へつっ込んでいった。そして、そのあとをなんとつづけていいかわからなかった。だが、からだを前こごみにしている心配そうなようすは、言葉の意味をそのまま引きつぎ、たずねていることの意味をはっきりさせた。

ジェンニーは、なんとも返事をしなかった。そして、フォンタナン夫人は、少しずつからだを起こしながら、自分の前、夕やみにおかされていく庭のほうをながめはじめた。

五分ばかりの時がたった。

風が冷えてきた。フォンタナン夫人は、ジェンニーが身ぶるいをしたように思った。

「かぜを引くわよ、さ、はいりましょう」と、夫人は言った。

彼女の声は、ふたたびいつものとおりのちょうしにかえっていた。夫人は、考え直していたのだった。しいて言わせたところでなんになろう？　彼女は、ひと思いに口にだしてしまったことがうれしかった。たしかに、わかってもらえたにちがいないと思った。そして、将来について信じていた。

ふたりは立ちあがり、べつに言葉をかわすでもなく玄関をぬけ、そして、もうほとんどまっ暗になった廊下の中へはいっていった。先に立ってあがっていったフォンタナン夫人は、ジェンニーの部屋の前の踊り場の上で立ちどまった。それは、毎晩するように、娘にキスしてやろうと思ってだった。たとい、娘の顔こそはっきり見わけられなかったが、彼女は、自分のキスの下に、かたく引きしまった肉体の抵抗を感じた。そして、ちょっとのあいだ、娘の頬をじっと自分の頬に押しあてた。そうした同情的な動作が、ジェンニーの抵抗をそそりたてた。フォンタナン夫人は、やさしく身を引いた。そうして、自分の部屋のほうへ歩いて行った。だが、彼女の目には、ジェンニーが部屋へはいるために戸をあけるかわりに、自分のあとからついて来るのが見えた。と同時に、彼女の耳には、娘がうしろから、ひと息に、興奮したちょうしでさけぶのが聞こえた。

「ママ、あの人来すぎていけないと思ったら、もっと冷淡に扱っておやりになったらいいじゃないの！」

「誰のことさ？」と、フォンタナン夫人は、ふりかえりながら言った。「ジャックさんのこと？　来すぎるって？　だって、もう二週間以上見えないじゃないの！」

（事実ジャックは、ダニエルの口から、フォンタナン氏の帰って来たこと、また、そのことによって彼らの家庭生活がひっくりかえされたことを聞かされて以来、遠慮して、彼らのところに姿をあらわさないようにしていたのだった。）いっぽうジェンニーも、いままでほど規則正しくクラブへ行かないようになり、できるだけジャックを避け、しばしば彼が誰かと試合をはじめるのを待って、ほとんど彼と口をきかずに逃げだすようにしていたため、二週間以来ふたりの出会う機会はきわめてまれになっていた。

ジェンニーは、決然としたようすで母の部屋へはいっていった。彼女は、ドアをしめ、不敵な態度で、黙ってつっ立っていた。

フォンタナン夫人は、娘がかわいそうでたまらなかった。そして、ひたすら、何か言いだしやすくしてやろうと思っていた。

「ほんとにわたしには、おまえがなにを言おうとしているのかわからないのよ」

「いったい兄さんはなんでチボー家の人たちを家へつれて来たんですの？」と、ジェンニーは、はげしいちょうしで言った。「兄さんさえ、あの人たちとあんなわけのわからないおつきあいをしなかったら、けっしてこんなことは起こらなかったはずなのに！」

「いったいどんなことが起こったのさ？」と、フォンタナン夫人は、胸に動悸を打たせながらたずねた。

ジェンニーはむっとした。

「どんなことも起こらなかったのよ。あたし、そんなことを言ってるんじゃないの！　ただ兄さんとママとが、チボー家の人たちをいつも家に近づけるようにさえしなかったら、あたし……あたし……」彼女の声はハタととぎれた。

フォンタナン夫人は、勇気をだした。

「さ、ママに話してごらん。おまえ、ことによったらあの人が……なにか特別な気持ちを持っているのに気がつきでもしたんじゃないの？」

ジェンニーは、そうした質問の最後の言葉を待つまでもなく、そうだといったしるしに頭をさげて見せた。彼女の目には、くまなく月光に照らされた庭、小さな門、壁の上の自分の影、そのときのジャックのけしからぬしぐさなどが思いだされた。だが、彼女は、夜昼彼女を悩ましつづけていたあの恐ろしかった瞬間の記憶を、断じて口にだすまいと決心していた。つまり、それをこうして心にしまっておくことによって、自分には、それを恐ろしいことと考えるなり、単なる感動と考えるなり、その自由が保証されている、とでもいうようだった。

フォンタナン夫人は、いまこそ一か八かの大切なときだと見てとった。そして、ジェンニーをして、ふたたび沈黙の中に閉じこもらせてはいけないと思った。夫人は、ふるえる腕で、自分のうしろにあったテーブルにつかまり、その全身をジェンニーのほうへかがめた。娘の顔は、あけ放された窓によってわずかに照らされ、やっと見わけられる程度だった。

「ねえ」と、夫人は言葉をつづけた。「だって、そんなことは問題にならないじゃないの、もしおまえさえ……おまえのほうでもあの……」

今度は、否定のしるしが、幾度となく執拗にくり返された。そして、フォンタナン夫人は、たまらない不安から解き放たれて、ほっとためいきをついた。

「あたし、いつだってチボー家の人たちきらいだったわ!」と、とつぜんジェンニーがさけんだ。母親の耳には、娘の声と受け取れないほどの声だった。「兄さんのほうは、うぬぼれの強い野蛮人みたい。もうひとりのほうは……」

「ちがいますよ」と、フォンタナン夫人がさえぎった。そういう夫人の顔は、薄暗い中でまっかに染まっていた。

「……もうひとりのほうは、いつも兄さんにとっての悪魔だった!」と、ジェンニーは、自分で、ずっとまえから悪かったなと気のついていた昔の恨みを、ふたたび蒸しかえしながら言葉をつづけた。

「ママ、あの人たちのことを弁護したりしないで。あの人たちを、好きになれるはずなんかありはしないわ。ママなんかとはまったくちがった人たち！　ママ、ほんとよ。あたし、けっしてまちがっていない。あの人たち、あたしたちとはまったく違った人種なの！　あの人たちは……さ、なんて言ったらいいだろう……あの人たち、たといあたしたちみたいな考え方をしているように見えるときでも、けっしてだまされてはだめ。いつも考え方がちがっているの、その動機がちがっているの！　あの人たちったら……」彼女はためらった。「なさけないやつらだわ！」と、彼女はとうとう吐きだすように言った。「なさけないやつらだわ！」そして、その思考の混乱によって引きずられるままに、彼女はひと息に言葉をつづけた。「あたし、ママにはなにひとつ隠しだてしたくないの、けっして。あたしがまだ小さかったときは、なんだかけちくさい感情……ジャックさんにたいして、やきもちとでもいうような感情を持ってたらしいわ。あたし、ダニエルが、あの人に夢中なのを見ていることがたまらなかったの！　あたし、いつでもこう思っていた、あの子には、兄さんとつき合うような価値がないって！　利己主義で、傲慢で、気むずかしやで、いじわるで、それにしつけがわるい！　顔かたちを見ただけでもわかることだわ。あの口といい、あごといい……あたし、あの人のことを考えないようにしていたの！　でも、それはやっぱりだめだった。あの人は、いつもあたしに、なにか不愉快なものを投げつけていた。あたし、それを思いだしては、いつもおこらずにはいられなかった！　あの人、いつも家へやって来た。まるで、わざとあたしにかまってでもいるように！……だが、それも昔のことだった……あたし、なぜだかわからないけど、いつもそのことを思いだすのよ……近ごろになって、あたし、あの人をずっと近くから観察したの。とりわけことし。そして今月。あたしいま、あの人にたいしてまえとちがった考え方をしているの。あたし公平に考えたい。あたし、たといいろいろなことはあるにしても、あの人によいところのあることはみとめるわ。ママ、あたしこんなことまで言いたいの。あたし、なんべんか、そう、なんべんか、あたし自分でもそうと知らずに……なんだかひきつけられるような……あ、ちがう、ちがう！　そんなことは嘘！　あんな人、なにからなにまで大きらい！　なにからなにまでって言えるくらい」

フォンタナン夫人は譲歩した。

「あたし、ジャックさんのことは知らないのよ。おまえのほうが、ずっとよくあの人を知る機会があったんだもの。そのかわり、アントワーヌさんのことでは、あたし、はっきり……」

「でも」と、娘は勢いこんでさえぎった。「あたし、ジャックさんについてはべつに……あの人にだって、とてもいいところのあることを否定したりはしなかったわ！」彼女のちょうしは、少しずつ変わっていった。そしていまは落ちついて話していた。「まず第一に、あの人の言うことは、なにからなにまで、あの人がとても聡明だということを語っているわ。それはあたしもみとめるわ。あたし、もっと進んで言いたいの。性格は、けっして悪くないの。単に誠実になるだけでなくって、さらに進んで、自分を高めること、自分を高貴なものにすることさえできる人。ね、あたし、あの人にたいしておこってなんかいないのよ！　それだけじゃない、あたしこう思うわ」と、彼女は、一語一語荘重に力をこめながらつけ加えた。いっぽうフォンタナン夫人は、おどろいて、注意ぶかく彼女を見まもっていた。「あたしこう思うの。あの人は、高い、おそらくもっとも高い運命のために生まれてきた人だろうって！　ほら、あたしとても公平でしょう！　それに、いまあたし、あの人の中にあるあの力、それこそ、人が天才と呼んでいるところのもの、そう、まさに天才と呼んでいるところのものにちがいないとさえ信じているの！」彼女は、母がべつに反対しているらしくないのを見てとると、なかばいどみかかるようなちょうしで言った。

ついでとつぜん、絶望的なはげしさでさけんだ。

「でも、それはそれ！　あの人はやっぱりチボー家の性質を持ってるわ！　あれはチボー家の人！　そして、あたし、チボー家の人たち大きらい！」

フォンタナン夫人は、あっけにとられて、ちょっとのあいだ黙りこんでしまった。

「だって……ジェンニー……！」と、やっとのことで、つぶやくように夫人が言った。

ジェンニーは、そうした母の声の中に、兄の眼差しの中にはっきり読みとったのと同じ考えを見てとった。彼女は、子供のように、フォンタナン夫人にとびついた。そして、その口を手でおさえた。

「ちがう！　ちがう！　そうじゃないの！　そうじゃないってば！」

そして、母が、彼女を自分のほうへひきよせ、彼女をかばおうとするかのように腕の中に抱きとってやると、いままで首をしめつけられていた結びめが急に解けでもしたように、はじめてしゃくり泣きをはじめた。そして昔、少女のころ、悲しいときに聞かせたのとおなじ声で、あとからあとからくり返した。

「ママ……ママ……ママ」

フォンタナン夫人は、娘を胸にだきしめながら、やさしくゆすってやっていた。そして、落ちつかせてやろうと思って、こんな言葉をつぶやいた。

「ねえ……こわいことなんかないのよ……泣くんじゃないのよ……ほんとにとほうもないことだわ！……でも誰もおまえにどうこうなんて言うんじゃないの……でも、よかった、おまえ……」（彼女は、ふたりの少年が姿を消した翌日、ただ一度だけ、チボー氏と会ったときのことを思いだした。彼女は、書斎の中、ふたりの司祭を両わきにひかえた、でっぷり太ったチボー氏の姿を思い浮かべた。彼女は、チボー氏が、ジェンニーの恋にこのうえもない汚辱を押しつけて、ジャックの恋に、承諾を拒絶しているところを想像した。）「でもよかった、そんなことがなくって！……おまえ、ちっとも悪くなんかありはしないのよ……あたし、あの人に話してあげるわ……あの人にわからせてあげるわ……泣くんじゃない。さ、すっかり忘れてしまうのよ……さあ、おしまい、これでおしまい……泣くんじゃないのよ……」

だが、ジェンニーは、ますますはげしくしゃくり泣きをつづけていた。母のひとことひとことに、さらに心をかきむしられていた。そして、ふたりは、長いこと、夕やみの中に、しっかり抱きあったまま、立ちつくしていた。娘は、その苦しみを母の腕に投げこんでいた。そして、母は、つらい慰めの言葉を単調にくりかえしながら、恐怖の目を大きくあけていた。それは、彼女の日常の予感によって、ジェンニーのまえに、なんともなしがたい運命がひらかれ、自分の心配、愛情、嘆願をもってしても、もはや娘を取りもどせないだろうということが考えられていたからだった。《人が無限に神のほうへ向かってのぼって行くとき》と、彼女は苦しそうに考えた。《誰も彼もがひとりぼっちで、試練を重ね、しかも誰も彼もがしばしば誤りにあやまりを重ねながら、永遠に自分のものとされている道の上を歩みつづけなければならないのだ……》

階下の戸のしまる音が聞こえ、玄関のタイルの上にジェロームの足音が聞こえたとき、ふたりははじめて、はっとばかりに身をふるわせた。そして、ジェンニーは、いままでだかれていた腕をほどくと、ひとこともいわず、いまやわが身の上に落ちかかった苦しみ、世界じゅうの誰ひとり、それを軽めてくれることのできない苦しみの下によろめきながら、逃げるように出ていった。

十一

とほうもなく大きな一枚のビラが、ブールヴァールの散歩者の足を映画館の前にとめさせていた。

未知のアフリカ
ウオロフ、セレール、フルベ、ムンダン、バギルミアン族の旅

「八時半でなければはじまらないんだわ」と、ラシェルはためいきをついた。

「そらみろ！」

ばら色の部屋の、親しみぶかい空気に残り惜しい別れをつげたアントワーヌは、ここでせめてもさし向かいの気分を味わいたいと思って、観覧席の奥の、格子のはまったボックスの切符を買った。

ラシェルは、切符売場のところで、彼に追いついた。

「あたし、とてもすばらしいものを見つけたのよ」そう言いながら、女は彼を、いろいろなスチールをならべた柱廊のところへひっぱっていった。「ごらんなさいよ」

アントワーヌは、まずそこに書いてある文句を読んだ。《マヨ・カビ河岸《がし》で、粟をあおぎわけているムンダンおとめ》素裸のブロンズ色の肉体、そして、帯のかわりにはわらを一本巻きつけているだけだった。その美しいムンダンの娘は、粟をあおるために上体を伸ばし、一心不乱な顔つきで、その右足の上にからだ全体の重みをかけるようにして立っていた。女は、頭の上、円を描くようにさし上げた右手で、粟をいっぱい入れた大きなひょうたんをかしげ、それをできるだけ高いところから、細い滝をなして、ひざのあたり、左手でささえた木鉢の中に流し込んでいた。そのポーズには、少しも巧んだらしいところがなかった。軽くうしろにそらした頭、宙につりあいをとった美しい二本の腕の描く曲線、上体をぐっとそらして、張りきったふたつの乳房をもり上げているところ、それに、胴にしわがきざまれ、腰にはぐっと力がはいり、力をいれていないほうの足を前へ突き出し、わずかにつまさきだけを地に触れさせているところ、そうした調和は、すべて仕事それ自身によって要求されたものであるため、いかにも自然で、いかにも感動すべき美しさをしめしていた。

「ほら、これを見てよ！」女は、肩に細い丸木舟をかついでいる十人ばかりの青年をアントワーヌにしめしながら言葉をつづけた。「ここにいる小さいの、なんていい顔をしてるんでしょう！ ウオロフ族の人なのよ。首にグリ・グリ（アフリカ土人が身につけている護符またはお守りの一種）をさげ、青いブーブー（ゆったりした上っぱりの一種）を着て、頭にはタルブーク（赤いふさのついた青い色のずきんの一種）をかぶってる」この晩、女は常にない興奮をしめしながら話していた。まるで、顔の筋が、知らないまにこわばってしまったとでもいうように、女はほとんど唇をあけずに微笑していた。そして、そのまぶたのあいだ、熱っぽい、すべり出すような眼差しが、いままでアントワーヌの見たこともないような銀色の光を見せていた。

「はいりましょうよ」と、女が言った。

「だって、まだ十五分以上もあるじゃないか！」

「かまわないわ」と、女は子供らしい待ちどおしさを見せながら言いかえした。「はいりましょうよ」

観覧席はからだった。オーケストラの穴の中には、幾人かの楽人が楽器をととのえていた。アントワーヌは、ボックスの格子を上げた。ラシェルは、彼に寄りそって立っていた。

「ネクタイをおゆるめなさいってば」と、女は笑いながら言った。「まるで首くくりをしかけて、首になわをつけたまま逃げだしてきたというようだわ！」彼は、目に見えないほどのむっとしたようすをした。「ああ」と、女はすぐにつぶやいた。「あなたといっしょに見にこられて、あたしとてもうれしいわ！」彼女は、アントワーヌの顔を両手でかかえて、ぐっと自分の唇のほうへひき寄せた。「それに、おひげをそってから、あたしどんなにすきかしら！」

女は、外套や、帽子や手袋を取った。ふたりは腰をおろした。ふたりは、人から見られないようになっている格子のあいだから、刻々観覧席の変わっていくのをながめていた。それは、何分もたたないうちに、さっきまでのような、その中に漂流物とでもいったようにいくつかの人影を浮かべた、あのしんとした、ほこりっぽい、赤っちゃけた洞穴ではなくなっていて、まるで大鳥かごとでもいったような快いざわめきに満ちみちた、無数にうごめく顔の集団にかわっていた。そして、その上を、おりおり吹奏楽器の半音階の音色が響きわたって聞こえていた。その年は、夏が特別暑かったにかかわらず、いまは九月もなかばを過ぎていたので、多くのパリ人はいやおうなしにパリに帰って来ていたのだった。そして、いまはもうあの夏休みのパリ――毎年夏が来るごとに、ラシェルがまるで新しい町を発見したように喜ぶ――あの夏休みのパリでなくなっていた。

「ねえ……」と、女が言った。ちょうどオーケストラが『ヴァルキューレ』（ワグナーの楽劇）の一節、春のリートを奏しはじめたところだった。

女は、頭を、すぐそばに腰かけていたアントワーヌの肩に投げかけていた。そして、彼は、ラシェルの唇のあいだから、また、しっかり合わされた歯と歯のあいだから、ヴァイオリンのかなでる歌をくりかえすこだまとでもいったようなものを聞いていた。

「あなたズュッコの歌うのを聞いたことがある？　あの、テナーのズュッコ？」と、女はうわのそらのちょうしでたずねた。

「ああ。でも、なぜさ！」

女は、夢みつづけていた。そして、すぐには答えなかった。やがて、いまはじめて自分の気持ちを隠さなければならないのに気がついたとでもいうように、声を低めてこう言った。

「あの人、昔あたしの恋人だったの」

アントワーヌは、ラシェルの過去について、なんら嫉妬心をまじえることなく、はげしい興味を感じていた。女が《あたしのからだには、思い出がないのよ》と打ちあけるとき、彼にはいつも、彼女の言おうとしていることがよくわかった。それにしても、ズュッコとは……彼は『マイスター・ジンガー』（ワグナーの楽劇）の第三幕で、白いしゅすの胴衣を身につけ、四角な台の上に立ったこっけいな姿を思い浮かべた。ふとった、ずんぐりした男、ブロンドのかつらはつけているが、そこにはまだジプシーふうがにおっており、そして、恋の二重奏で、あいかわらず手を胸にあてて歌うといったような歌い手だった。アントワーヌにはラシェルがよりによってあんな平凡な男をと、いささか腹だたしくなってきた。

「あんた、あの人がここのところを歌うの聞いたことがある？」と、女は言葉をつづけた。そして、指先をあげて、宙に音楽のからくさ模様を描いてみせた。「いままで、ズュッコのこと話さなかったかしら？」

「聞かなかったね」

ラシェルは、男の胸に頬をあてていた。ちょっと目をふせると、女の顔を見ることができた。そこには、女がいつも思い出をたどるときに見せるような、ああした快活な表情は見えていなかった。女は少しまつげを寄せ、ほとんどまぶたを閉じ、唇の端を軽く下げていた。《こいつの悲痛な顔もなかなかふめるぞ》と、彼は思った。それから、女が黙りこんでいるのを見ると、昔のことなぞ少しも気にかけていないことをも一度はっきり見せてやるため、さらにくり返してこう言った。

「で、どうした、そのズュッコ君は？」

女はハッと身をふるわせた。

「ズュッコって？」と、女は力のない微笑を浮かべて言った。「じつは、べつにたいしたわけではなかったの。はじめての恋人だったというだけ」

「ではぼくは？」彼は、少し自分をおさえながらたずねた。

「もちろん、たいせつな人のひとり――三人め」と、女は、まゆも動かさずに答えてのけた。

《ズュッコ、イルシュ、それからおれ……そして、そのほかおおぜいか……》と、アントワーヌは考えた。

女は、さらに興奮しながら言葉をつづけた。

「じゃ、お話ししようかしら？……こみ入ってるのよ。ちょうど、お父さんがなくなってから、まだまもないころのことだった。兄さんはハンブルクで働いていた。あたしはオペラ座。そして朝から晩まで、毎日そこに縛られてたの。でも、踊らない晩は、とてもひとりぼっちな気持ちになってね。

娘十八、誰でもそんな気持ちになるのよ。ところがあの人――ズュッコは、ずっとまえからあたしのあとを追いまわしたの。あたしのほうでは、かなりうぬぼれのつよい男だなといったくらいに考えてたの」彼女はちょっと言いよどんだ。「それに、少しばかだな、って。そう、あたし、もうあのころから、あの人少しばかだと思ってたらしいわ……でも、まさかあんな野蛮人とは思わなかった！」と、女は、とつぜん吐きだすように言ってのけた。

女は観覧席のほうへ目を投げた。ちょうど明かりが消されたところだった。

「いちばんはじめに、なにをやるのかしら？」

「ニュースさ」

「それから？」

「愚にもつかない大スペクタクルものさ」

「アフリカ物は？」

「いちばんしまいだ」

「あ、そう」女は、いいにおいのする髪の毛を、ふたたびアントワーヌの肩にもたせかけながら言った。「おもしろそうなのがあったら教えてね。あんた、くたびれない？　あたし、とてもいい気持ち！」

彼は、なかばひらかれ、じっとりしめっている女の唇を見た。ふたりはそのまま唇をあわせた。

「で、ズュッコは！」と、彼がくり返した。

彼の予想を裏ぎって、女は微笑しなかった。

「いまになって考えると、どうしてがまんできたんだろうって思われるの。とてもひどい目にあわされたんだから！　あの車引き！　あいつ、昔オランの田舎で駅馬車の馬方をしていたの……お友だちは、みんな同情してくれた。そして、あたしがなんであんな男といっしょにいるのか、誰にもわかってもらえなかったの。ご本人のあたしにさえ、いまとなってはわからないのよ……よく言うわね、女の中には、男になぐられるのが好きな人がいるって……」彼女はちょっと口をつぐんだ。そして、ふたたび言葉をつづけて「でも、そうじゃないわ。あたしのは、ひとりぼっちになるのがこわかったらしいの」

アントワーヌは、記憶するかぎりにおいて、ラシェルの声が、この晩ほどもの悲しい抑揚をしめすのを聞いたことがなかった。彼は、女をかばってやろうとするかのように、そのからだのまわりに腕をまわしてやった。だが、彼はやがて抱擁をゆるめた。それは、自分の驕慢心の一面である、わけなく他人に同情するという性質のことに気がついたからのことだった。弟思いの彼の秘密も、おそらくはそこにあったにちがいなかった。そして――ラシェルに出会うまえまでというもの――彼はときどき、自分にはそうする以外、人を愛し得ないのではないだろうかと、われとわが心にたずねていた。

「それから？」と、彼は言葉をつづけた。

「それから、あの人のほうで、あたしを捨てて行っちゃった、当然！」女は、少しも悲しそうな顔を見せずにこう言った。

それから、ちょっと口をつぐんだあとで、さも、告白に先だって、そのまわりに沈黙をあつめようとでもするかのように、声をひそめてこう言った。

「そして、そのとき、あたし妊娠していたの」

アントワーヌはハッとした。妊娠していた？　あろうことか。医者たる自分に、その痕跡が見つからなかったとは……？　あろうことか！

放心したような、不満らしい彼の目の前を、ニュース映画が動いていた。

大演習ニュース

ドイツ大使館付武官と語るファリエール大統領

将来の通信機関

ラタム氏、単葉機にて着陸。総司令官に重要なる情報を伝達す

大統領閣下、勇敢なる飛行家を謁見す

「でも、そのことだけであたしを捨てたわけではないの」と、ラシェルが修正した。「もしあたしが、あの人の借金をずっと払ってやってさえいたら……」

アントワーヌは、とつぜん、あの子供の写真、女のところでみた写真、女が、これあたしの死んじ

やった子供、と言いながら、彼の手から奪いとった写真のことを思いだした。

彼はいま、ラシェルの告白におどろいたというより、むしろ職業上の自負心から、さらに当惑し、さらにまいっていたのだった。

「ほんとなのか?」と、彼はつぶやくように言った。《子供があったのか》そしてすぐ、抜けめのない微笑を浮かべながら、「じつはまえから、そうじゃないかと思ってたんだ」と、言った。

「でも、なかなか人には気がつかないのよ! あたし、芝居に出ていたから、じゅうぶん自分に気をつけてたの!」

「ぼくは医者だよ!」彼は、肩をそびやかしながら言いかえした。

女は微笑した。女には、アントワーヌの目のきいていたことがうれしかった。女は、しばらく黙っていたあとで、からだをぐったりさせたままで言葉をつづけた。

「ねえ、あたしあのころのことを思うと、一生でいちばん楽しいときを生活したような気持ちがするの。あたしどんなに得意だったろう! そして、からだが重くなってきて、オペラ座を休まなければならなくなったとき、あたしどこへ行ったと思う? ノルマンディ! 未開そのままのような人たちの住んでいる小さな村があって、その村に、兄さんとあたしとを育ててくれた年寄りの家政婦さんがいたの。ああ、あたしどんなに甘やかされたこったろう! 一生でも暮らしたかったほどだった。それに、そうしたほうがよかったの。でも、あのお芝居の世界は、いっぺんでもあそこへ足を入れると……あたし、自分ではうまくやったつもりで、子供を里子にあずけることにした。あたし、ちっとも心配なんぞしていなかった。さて、それから八カ月して……あたしも病気になっちゃったの」と、彼女は、ちょっと黙っていたあとでためいきをついた。「あたし、お産ですっかりちょうしがくるってしまった。そしてオペラ座を思い切らなければならなくなったの。なにからなにまで、一時になくさなければならなくなった。そして、またまたひとりぼっちになっちゃったの」

彼は、うつむいた。女はもう泣いていなかった。じっと大きな目をあけて、ボックスの天井をながめていた。だが、そのまぶたはゆっくり涙にふくれてきた。彼は、あえてキスをしてやろうとも思わなかった、女の感動を尊敬して。彼は、いま聞かされたばかりのことを考えていた。ラシェルといっしょのとき、彼は、毎日、ある一定の点、そこから彼女の生活について総括的な判定をくだしてやれる一定の点に達することができるように思っていた。だが、一夜明ければ、ひとつの告白、ひとつの思い出、あるいは単なるほのめかしといったようなものが、そこに思いがけないさまざまな見とおしを展開させ、彼の眼差しは、またもやわからなくなってしまうのだった。

女は、自身から身を起こした。そして、髪を直そうとして腕を上げた。だが、彼女はハタと動作をやめて、その手をスクリーンのほうへ向けた。

「おお！」と、女はさけんだ。そして、ドロンとした目をあけながら、まるで猟犬の群れとでもいったように、疾駆しながらせまってくる三十人あまりのインディアンの群れに追われ、馬上で逃走をつづけている少女の姿を、われを忘れての注意をこめて見まもっていた。少女は、岩によじ上り、その頂に姿を見せたかと思うと、たちまち切り立った絶壁をすべりおり、敢然として激流の中におどりこんだ。三十人の土人たちも、馬もろとも、跡を追っておどり込み、飛沫の渦に姿を隠した。だが、少女はすでに対岸にたどりつき、馬をせきたて、ふたたび逃走をつづけていた。だが、そうした努力もむなしかった。つかまえようとする面々は、彼女の跡をおって馬をおどらせ、いまや彼女に追いせまっていた。あわや少女は、その頭上に鳴りはじめていた投げなわにからみ取られたかと見えたせつな、彼女はひとつの鉄橋にさしかかった。見ればその下を、特急列車がたつまきのように通っていた。瞬間、彼女は鞍からすべりおり、堤防をまたぐと、身をおどらしてとびおりた。

観覧席は息をつめた。

と、たちまち、突っ立っている少女の姿が、汽車の屋根の上にあらわれた。汽車は、髪を振り乱し、スカートを風になびかせ、両のこぶしを腰にあてた少女をのせて、全速力で走っていく。いっぽう、鉄橋の上からは、インディアンたちが銃でねらおうとするがうまくいかない。

「見た?」と、女は、うれしさに身をふるわせながらさけんだ。「あたし、こんなのが好き!」

彼はふたたび女を引きよせた。そして、今度は自分のひざの上にのせてやった。彼は女を、まるで子供のようにかかえていた。彼は、慰めてやりたかった。ふたりのあいだの恋愛以外のあらゆるものを忘れさせてやりたかった。だが、彼はひとことも言わなかった。そして、女の首飾りをいじっていた。その乳色をしたいくつもの玉は、鉛色の竜涎香《りゅうぜんこう》の小さな玉で仕切られていた。そして、竜涎香は、指でいじられ、暖められると、いかにもしつこいにおいを出し、二日たっても、はっと手のひらにそのにおいの感じられることがまれではなかった。「おはいり!」と、女が言った。

ひとりの若い案内人が、ボックスをまちがえてあけたのだった。そして、いそいでもとどおりにドアをしめた。だが、そのちょっとのあいだに、好奇の眼差しで、アントワーヌの腕にだかれ、着物の前をはだけているラシェルを見ることを忘れなかった。アントワーヌは、おそまきながら、からだをはなした。

ラシェルは笑っていた。

「おばかさん！　あの子はたぶん……待ってたのよ……でも、かわいらしい子……」

彼は、その言葉なり、そのちょうしなりにびっくりして、女の表情をうかがった。だが、ラシェルは、頭を彼の肩にのせていた。そして、彼には、あの笑い声、なぞのような、そして、ほとんど声をたてないくつくつという笑い声、聞くたびに不愉快にならずにはいられないあの笑い声だけが耳にはいった。

ふたりが何ひとことといわずにいるうちに、幕間《まくあい》の時間がたっていった。

部屋の中は暗くなった。いよいよアフリカの映画だった。オーケストラが、黒人の歌を奏しはじめた。

すると、ラシェルは彼から離れ、ただひとり、ボックスのふちまで出ていって腰をおろした。

「うまくとれてるといいけれど」と、女はつぶやいた。

つぎつぎと風景がうつっていった。つたかずらにからまれ、大地につなぎとめられたような巨大な木の陰に、とろりとよどんでいる一筋の川。おぼれた牛の死骸のように水の表面に身を浮かべたヒポポタマス。まるで老水夫といったように、首のまわりに白いひげをはやした黒い小さな何匹ものさるが、砂の上でふざけまわっていた。やがて、今度は村が出た。暑さにひびわれた、人っ子ひとり見えない遊歩場。小屋や垣などでしきられた見晴らし。裸で、腰布の下に臀《しり》のあたりの筋肉を突っぱらせているプール族の《むすめ》たちが、ほこりの中をころがりまわる黒人の子供たちにとりまかれながら、たけの高い木鉢の中で穀類を搗《つ》いている庭。大きなかごを持った女たちもいた。また、ほかの女たちは、ぺったり腰をおろして、左の手につむ竿を持ち、右の手では、綿を巻きつけたこまの形をしたつむを、木製のしゃくれたようなものの中でまわしていた。

ラシェルは、組みあわせたひざの上にひじをつき、あごを手に握り、顔をぐっとつき出しながらじっと画面に見いっていた。アントワーヌの耳には、彼女の呼吸が聞こえていた。女は、おりおり、頭を動かすことなく、低い声で、「ねえ、あなた……ほら……ほら……」と、呼んでいた。

映画は、夕暮れ、椰子の木にふちどられた広場での、野蛮なタムタム踊りで終わっていた。その全部が黒人である群衆は、顔を緊張させ、からだを喜びにおどらせながら、ふたりの土人を中心に輪をつくっていた。中なる土人はほとんど全裸体、なかなかりっぱな土人で、酔ったようになり、汗でからだをきらきらさせながら、たがいに求めあい、ぶつかりあい、離れるかと思うと、今度は歯をきしませながらぶつかっていき、あるいはまた、ちょうしのついた興奮状態でたがいに求めあい、からだをこすりつけていた。その興奮は、いかにも勇ましいものであると同時に、わいせつきわまるものだった。というのは、それは、戦いへの興奮と、情欲への渇望をまねたものだったから。見物の黒い土人たちは、息を切らし、喜びに身をふるわせながら、狂ったようなふたりの土人のまわりにだんだんその輪をせばめていき、そして、休みなく、ますますはげしく手を鳴らし、太鼓をたたいて、ふたりの興奮を、いやがうえにもそそりたてていた。オーケストラがやんだ。と、舞台裏での、よくそろった手拍子の音が、画面に、はげしくわきたつような生命感をあたえ、苦しいほどの肉感をつたえ、それが、これら狂ったようなすべての人々の顔の上にしめされていた。

映画はすんだ。

観客たちは館を出ていった。そうじ女たちは、あいた椅子の上におおいの布をひろげていた。ラシェルは、ぐったりしたように黙りこみ、すぐには立ちあがる気になれなかった。そして、アントワーヌが、立ちあがって、夜の外套を出してくれているのを見ると、彼女も立ちあがって、唇をさし出した。ふたりは、なにひとこと口をきかずに、一番あとから出ていった。だが、映画館の前、大通りへ出て、ほうぼうの娯楽場から一度にどっと流れ出た群集のあいだ、無数な光がちらつき、そのなかに、すでにひとひらふたひらの秋の木の葉の舞いそめているなごやかな夜の中に身をおいたアントワーヌが、女の腕をとり、その耳もとに「帰ろう。ね?」と、ささやいたとき、女は声高に、「まだいや。どっかへ行きましょうよ。あたし、咽喉《のど》がかわいちゃったわ」と、言った。そして、柱廊のかげの広告窓に気のついた女は、ぐるりと遠まわりをしながら、も一度若い土人の写真を見に行った。「ああ」と、女は言った。「これ、ふしぎなほど、いっしょにカザマンス川を船でくだったときのボーイに似てるわ。ウオロフ族の子供だったの。ママドゥー・ディエングっていったっけ」

「どこへ行くんだね？」と、彼は失望を顔にあらわさずにたずねた。

「どこへでも。ブリタニック？　いや？　じゃ、パクメル？　歩いて行きましょうよ。そう、パクメルで冷たいシャルトルーズを飲んで、そして家へ帰りましょうよ」女は、じゅうぶんな思わせぶりをにおわせながら、しっかり彼に身をよせかけた。

「あたし今夜という今夜、あの映画を見てからママドゥーのことを思うと、なんだか妙な気持ちになってくるの」と、女は言葉をつづけた。「ねえ、あたし、いつだか、イルシュが捕鯨艇みたいな船の艫《ろ》のところにすわっている写真をお見せしたわね。あなたは、まるでヘルメットをかぶった大仏さまみたいだって言ったわね？　あのとき、あの人がもたれていた、白いふわっとした着物をきたまっ黒なボーイをおぼえている？あれがママドゥー」

「おなじやつかもしれないな？」と、彼は、その意を迎えるように言った。

女はちょっと黙りこんでいた。そして、身をふるわせた。

「かわいそうに。そのあと何日かして、あの子はあたしたちの目のまえでかみころされてしまったの。そうよ、川へはいっていて、というより、そう、イルシュが……イルシュがこう言ったの。とてもママドゥーには、そのときあたしが撃ち落とした鷺を拾うため、その川の支流を泳ぎきれはしないだろうって。あたし、なんでその鳥を撃ったりしたんだろうって後悔したわ！　あの子は、やってみる気になって、川の中へ飛びこんだの。そして、どんどん泳いでいった。あたしたちはじっと見ていた……とたちまち！　あ、なんていうおそろしさ！　まだほんのちょっとしかたたないうちに！　たちまち、下のほうからくわえられて、からだがぐっと水の上に出た……そのときの声ったら！……そのときのイルシュの態度、りっぱだったわ。すぐに、もうだめだ、苦しい思いをさせるだけだ、と見てとったの。そして、鉄砲を肩にあてて、パン！　少年の顔は、まるでひょうたんのようにはじけちゃった。だって、そうしたほうが功徳だったんじゃなくって？　でもあたし、なんだか病気になりそうな気持ちだった」

女は口をつぐんだ。そして、アントワーヌに身をよせた。

「その翌日、あたしその場の写真をとっておこうとした。水はとても静かで、とてもそんなことがあったなんて考えられもしなかったわ……」

女の声はうわずっていた。女はふたたび、まえよりも長いあいだ口をつぐんでいた。そして、言葉をつづけた。

「ああ、イルシュには、人間の命なんてなんでもないのよ！　でもあの人、そのボーイをかわいがっていた！　それでいて、あの人、びくりともしなかったの。そんなふうな人だったのよ……そんなことが起こったあとでも、あの人すこしもたじろがなかった。そして、誰か鳥を取ってくるものがあったら、自分の目ざまし時計をやるって言いだした。あたし、よしてくれって言ったの。でも、あの人、黙っていろと言った。そして、あの人、いったん言いだしたとなったら、なんとしてでも言うことをきかせずにはいない人なの……けっきょく、あたしは鷺を手にすることができた。そこにいたかごかきの男のひとりが、つまりあの子より運がよかったわけなのね」彼女はようやく微笑を浮かべた。

「あたし、それをいつも持ってるの。この冬は、焦茶いろの絹ビロードの小さいトケ（婦人用の小さな帽子）——とてもかわいらしいのにつけてかぶったわ」

アントワーヌは、ひとことも口をきかなかった。

「あなた、まだ一度も行ったことがないなんて！」彼女は、急に彼から身を離しながらさけんだ。

だが、女は、たちまちハッと後悔した。そして、彼の腕にとりついた。

「気にしないでね。あたし、こんな晩、なんだか病気になったみたい。あたし、たしかに熱があるのよ、……ほらフランスって、ねえ、息がつまりそうだわ。ほんとに生きるんなら、なんとしてでもあそこでなければ。とてもすてきよ！　黒人の中での白人の自由さ！　ここにいては、とても想像できないくらいな自由さ！　規則らしいもの、からだを縛るものなんか何ひとつないの！　人がなんと言うだろうか、ひとつも気にかける必要がないの！　わかる？　せめて、そのことだけでもわかってくれる？　どこへ行こうが、いつだろうが、いつも自分自身でいられるの。土人たちの前では、この国で、ちょうど犬の前にいるのとおんなじように、まったく自由でいられるの。まわりには、とても気持ちのいい、とても想像できないほど機転のきく、こまかい心づかいをもった人たち！　取り巻いているのは、若い、陽気な微笑、ちょっとしたこっちの希望でもたちまち見ぬかずにはいない燃えるような目つきばかり……あたし思いだすわ、あんた、退屈しない？……あたし思いだすわ、ある日、一日の旅程を終わって、ブレッド（北アフリカの起伏地）に泊まることになったときのこと。イルシュは、泉のそばで、ひとりの酋長さんと話していた。そこには、女たちがたくさん水をくみに来ていた。ちょうどそうした時刻だったのね。見ると、ふたりのとてもすっきりした娘が、ふたりして大きなやぎの革嚢《かわぶくろ》を持ってやって来た。《あっしの娘たちでござんすよ》と、その酋長が説明した。たったそれだけ。ところが、酋長にはちゃんとわかっていたの。そしてその晩、あたしとイルシュのいた家《ダール》のむしろが、音もなくあげられた。そして、ふたりの娘が微笑しながら立っていた……よくって？　なにひとつ、口に出しては言わなかったのよ……」と、彼女は、黙って幾歩かあるいたあとで話しつづけた。「そう、あたし、もっと思いだすことがある……なにからなにまで話しちまったら、ほんとに楽な気持ちになれるわ！……あたしおぼえてる。ちょうどロメにいたときのこと。そのときも、ちょうど映画を見に行ってたの。というのは、夕方になるとみんな映画を見に行くことになってるの。小さな木を植えた箱に取り巻かれ、あかあかと灯火《ともしび》をつけたカフェーのテラス。やがて、すっかり明かりが消えて、映画がはじまる。みんな、冷たい飲物をすすってるの。想像できる？　植民地へ来ている連中は、みんな白い麻の服を着て、スクリーンの反射にポッと照らしだされながら腰をおろしていた。そして、うしろのほうには、いままで見たこともないようなまっさおな夜の中、どこへ行っても見られないほど輝いている星の下に、ぐるりと土人たちが取りまいてる。男の子や女の子。暗いところに立って、顔といってもほとんど見えず、目は、まるでねこのひとみのようにきらきら光って。とてもとてもきれいな目！……ところで、何ひとつ合図をする必要もないの！　そうしたつるつるした顔のひとつをじっと見つめていたとする。両方の目がちょっと出会ったとする……もうそれだけでたくさんなの。何分かして、立ちあがり、うしろをふり向きもせずにそこを出て、わざとドアをあけ放しにしてあるホテルにもどると……あたし、二階に泊まっていたの……着物を脱ぐかぬがないうちに……誰かドアをつめでかいてるものがいる。明かりを消して、ドアをあけた。と、それが彼だった！　まるで、とかげのように壁をよじのぼって来たんだわね。そして、なにも言わずに、その小さいからだから、するりと着物をすべらせた。あたし、いつまでも忘れない……しっとりぬれた、ひんやりした、とてもひんやりした唇だったわ……」

《とほうもない》と、アントワーヌはわれにもあらず心に思った。《土人相手に……まえもって調べてもみずに……》

「ああ、あの人たちの肌といったら！」と、ラシェルは言葉をつづけた。「まるでくだものの皮とでもいったようなさわやかさ！　内地の人には、考えてさえも見られないわ！　いつでも、タルクでこすりたてといったような、まるでしゅすのような、つるつるした、かわききった肌。なにひとつ欠点のない、ざらざらしたところや、じめじめしたところのない、しかも、燃えるような――なかが燃えてるといったような、つまりモスリンのそでをとおして感じられる熱のあつさ、わかる？　まるで羽根の下に感じられるあたたかい小鳥のからだといったような肌！……そうした肌を、あそこの真昼の光で見ているると、光が、肩や腰のあたりをかすめるとき、その赤褐色の絹のような肌の上に、青い光――さ、なんて説明したらいいかしら、まるで手に触れないはがねの粉とでもいったような、でなければ永遠の月の光とでもいったようなものが生まれてくるの……しかもまた、そうした土人たちの目つきときたら！　あなた、あの目つきのたまらなさに気がついた？　ちょっとドロリとした白目、その中に、ひとみがとても敏捷に泳いでるのよ……それに……あたし、なんて言っていいかわからない……向こうでは、男女の道についても、内地とまったくちがった考え方がされてるの。向こうでは、それは沈黙の行ない——神聖な、同時に自然な行ない、ぜんぜん自然な行ないなのね。そこには、どんな考えも、たといどんな種類の考えも、けっしてはいりこんではきていないの。そして、内地では、いつもある程度秘密にされている快楽が、向こうでは、生活それ自身とおなじほど正当なものとして求められている。そして、生活とおなじほど、恋愛とおなじほど、まったく自然な、神聖なものとされてるの。わかる?……イルシュはいつもこう言ってたわ。《ヨーロッパでは、みんな自業自得な目にあってるんだ。アフリカこそはおれたちの国だ、自由な人間たちの国だ》って。ああ、それというのも、あの人、黒人が好きだからなの!」彼女は笑いだした。「あたし、いちばん初めに、どうしてそのことに気がついたかご存じ? お話ししなかったかしら? ボルドーの、あるレストランでのことだった。あの人、あたしの正面にすわっていた。ふたりは話をしていたの。とたちまち、あの人の目がキッとあたしのうしろを見つめた。ほんのちょっとのあいだ。でも、その目の光といったら……それはそれは鋭い光。あたしくるりとふり向いてみた。そして、目にはいったのは、食器棚のそば、オレンジのコンポチエ(砂糖煮の入れもの)を手にした、まるで王子さまのように美しい十五ばかりのかわいい黒ん坊」女は、さらに、だが、あいまいなちょうしで言葉をつづけた。「そしてたぶんその日から、あたしまでが、向こうへ行ってみたい気持ちになったのよ……」

ふたりは、なにも言わずに、さらに何歩かあるきつづけた。

「あたしの理想」と、とつぜん女が言いだした。「それは、あたしが年寄りになったとき、家を一軒出したいっていうこと……そうなのよ……変な顔をしないでよ。家といったっていろいろあるわ。もちろんあたし、ちゃんとした家を持ちたいと思うの。なにしろ、老人たちのあいだで年を取りたくないと思うの……いつもまわりに、若い人たち——若い、自由な、そして情熱的な肉体を持った人たちを持っていたいの……わからない?」

おりからふたりは、パクメルのところに来かかっていた。アントワーヌのほうでは、何も返事をしなかった。なんと答えていいかも、わからなかったにちがいなかった。こうした奇怪なラシェルの身の上話をきかされて、彼はびっくりしつづけていた。思えば自分は、そうした彼女とは全然ちがって、有産階級の家に生まれたこととか、仕事とか希望とか、しゃんと計画を立てている将来とかで、しっかりフランスの土地にくぎづけられてしまっているのだ! 彼には、自分を結びつけているそうした鎖がはっきり見えていた。それでいながら、彼は一度も、それを引きちぎろうなどと思ったことがなかった。そして、ラシェルが望んでいるもの、しかも、彼にとってはまったく見ず知らずのあらゆるものにたいして、ちょうど家畜が、あらゆるうろつきまわるもの、住まいの安全をおびやかすものにたいしてもつのとおなじような、一種の敵意を感じていた。

暗赤色のカーテンからもれるまっかな光のしまだけが、そのまどろんでいる建物のうしろに、にぎやかなバーの存在を思わせていた。入口の回転ドアが、きしみを立てた。そして、暑さ、ほこり、アルコールのにおいなどに飽満した空気の中に、さっとひといき風を入れながら、くるりとまわった。

なかはおおぜいの人だった。みんなダンスをやっていた。

ラシェルは、クロークの近くに、小さなテーブルのあいているのを見つけた。そして、肩から外套をすべらすより先に、氷の砕いたのをいれたいつものシャルトルーズ・ヴェルトを注文した。注文の品がくるやいなや、彼女は、テーブルにひじをつき、目を伏せ、唇を二本のストローにつけながら、じっと身動きしないでいた。

「悲しい?」と、アントワーヌがつぶやくようにきいた。

飲みつづけながら、女はちょっとまぶたをあげた。そして、できるだけ陽気さを取りつくろいながら微笑して見せた。

ふたりのそばには、ひとりの日本人が、子供のような顔に小さな黒い歯を見せながら、そばに腰をおろしている栗色髪の女の、テーブル・クロースの上に不作法に投げだしているボクサーそこのけのふとい腕をさりげないようすでさわっていた。

「すまないけど、シャルトルーズを言いつけて。これとおんなじのをもうひとつ」ラシェルは、からになった杯を見せながら言った。

アントワーヌは、誰かの手が軽く自分の肩に触れるのを感じた。

「あなただろうかどうかと、ずいぶん迷ったんですよ」と、親しみのある声が言った。「ひげ、切っちまったんですか？」

ふたりの前にはダニエルが立っていた。すっきりして、ぐっと身をそらし、さわやかな顔をくっきり灯火に照らされながら、手袋をはめていない手に広告の扇を持ち、それをぐっとしなわせては、まるでゼンマイのようにはじけさせていた。彼は、不敵なようすで微笑を浮かべ、さも、石弓のちょうしをためしている若きダビデ（『旧約聖書』にあらわれたイスラエルの王。石弓により巨人ゴリアテをたおす）をそのままだった。

アントワーヌは、彼をラシェルに紹介しながら、いつぞやダニエルが彼に向かって《ぼくもあなたのようにしたことでしょうよ——嘘つきさん！》と言ったときの、その言葉のちょうしを思いだしていた。だが、その思い出も、いまはまえほどしんらつなもののようには思われなかった。そして彼は、青年が、ラシェルの手にキスしようとからだをこごめたのち、その眼差しを、女の上、そのうつむきかげんな顔の上、腕の上、ブラウスの桃色絹の上にくっきり白く浮きあがっている首筋のあたりへ、つぎつぎと移していくのを楽しそうにながめていた。ダニエルは、ふたたび眼差しをアントワーヌの上へもどした。そして、さもラシェルの腕をほめるとでもいったように、彼女のほうへ微笑してみせた。

「ほんとに」と、彼は言った。「このほうがずっとたのしいですな」

「ずっとたのしい、生きてるかぎりにおいてはね」と、アントワーヌは、人を茶にする医者らしいちょうしで相づちを打った。「きみは、ぼくのように、死骸というやつを知らないからね！　二日もすれば……」

ラシェルは、彼を黙らせようとして、テーブルの上をトンとたたいた。彼女は、アントワーヌが医者であることをたびたび忘れた。女は、アントワーヌのほうに向き直って、ちょっとのあいだ彼をながめた。いかにも見なれたこの顔が、あの手術の晩、強いランプの光に照らされた顔、あの英雄的な、すごいほどりっぱな、ぜったいに近よれそうもなかったあの顔と、はたしておなじものといえるだろうか？　とりわけひげがなくなったいま、女には、この顔のあらゆる高低、あらゆる面、そのちょっとした特徴までが、のこりくまなくわかってしまっていた。ひげがそられたため、頰のあたりには軽いくぼみがあらわれ――つまり、筋肉のたるみというやつだった――そこにみられる優しさが、あごのあたりのいかつさをいささかやわらげていた。それに女は、毎晩それを幾度となく手のひらの中にだいていたことから、盲人の場合とおなじようにと言えるだろうか、彼の角張った顎骨《がくこつ》のあたりを、いやがうえにも知りつくしていた！　さらには、ちょっと突きだしているあごさえも！　それは、下のところがぐっと偏平になっていたので、女はびっくりして、《まるでへびのあごみたい！》とさえ言ったものだった。だが、ひげを落としてから、女にとってなによりわからなく思われたのは、あの長いうねうねした口の切れめ――それはきわめて柔軟でいながら、しかしそこにはきっぱりしたところがうかがわれ、その両端はほとんど上げられたためしがなく、といって下げられたこともなく、ほとんど人間味のないといったような意思の線が、古い彫像の唇に見られるように、その接合点のところをきっぱりかためていた。《それほど強い意思を持っているのかしら？》と、女は、不審に思いながら考えていた。女は小首をかしげた。ひとみは、いたずららしくまぶたのはしまですべっていったと思うと、ふち飾りのようなまつげの上で一瞬きらりと金色に光った。

アントワーヌは、愛される男といったような楽しそうな微笑を浮かべながら、見られるがままになっていた。ひげをおとしてからというもの、彼には、自分というものについての考え方が少し変わっていた。彼は、いままでのように、いかにも思いつめたといったような目つきをしなくなっていた。彼は、自分のうちに別の新しい力を見いだし、自分でもそれをかなり得意に思っていた。それに、数週間このかた、彼は、自分がぐんぐん変化しつづけていることを感じていた。そして、彼には、ラシェルと出会うまでのあらゆる人生のできごとが、すべてやみの中に沈もうとしてでもいるかのように思われていた。それらはすべて、《まえ》のできごとだった。彼は、それ以上はっきりさせようとは思わなかった――いったいなんの《まえ》だろう？――つまり、自分の変わるそのまえなのだ。つまり、彼は、精神的にすっかり変わってしまっていた。まるで鍛え直されたとでもいうようだった。成熟し、同時に、さらに若くなった感じだった。彼は、好んで、自分がまえよりもずっと強くなったと心のうちにくりかえしていた。だが、それは正確な言い方ではなかった。なるほど、それは、かつてにくらべて、反省の度の減っている力かもしれなかった。だが、その発生にあたってはずっと力強く、高揚にあたってはずっとくるいのない力だった。彼は、そうした力の結果を、自分の仕事の中にもみとめることができていた。彼女との関係は、最初一時的には仕事の進行をかき乱した。だが、仕事はたちまちその発展性を回復し、まるで両岸をひたしながら流れて行く大河のように、ふたたび彼の生活をみたしていた。

「さ、もう顔かたちの話はたくさんだ」と、アントワーヌは、ダニエルに椅子をすすめながら言った。「映画を見てきたんだ。アフリカ映画があってね、知ってる？」

「あなた、ヨーロッパを離れたことがおありになる？」と、ラシェルがたずねた。

ダニエルは、ひびきの高い女の声にびっくりした。

「いいえ」

「じゃあ」と、女は、運ばれてきたシャルトルーズを手にし、新しいストローを二本、待ってましたとばかりに突っこみながら言った。「では、ぜひ行ってごらんにならなければ。とりわけ、入り日を浴びた荷物かつぎの人夫たちの行列がすてきよ……ねえ、アントワーヌ？　それに、女たちが丸木舟から荷あげしているあいだ、砂の上にいる子供たち……」

「ぜひ行きましょう」と、ダニエルは、じっと女を見つめながら言った。そして、ほんのしばらく口をつぐんだあとで、言葉をつづけた。「アニタを知っておいでですか？」

女は、知らないといったようすをした。

「アメリカ・インディアンの女です。たいていいつもバーに来ているんですね。ほら、ここから見えます。マリ・ジョゼフのうしろのところ、白い着物を着て、ほら真珠をたくさんつけている女」

ラシェルは、踊っている人たちの群れをとおして、大きな帽子のかげにかくれた、その女の薄黄色の横顔を見るために腰を浮かせた。

「黒人じゃありませんのね」女は、失望をかくしきれずにそう言った。「混血児ですわ」

ダニエルは、かすかに微笑をもらした。

「失礼しました」と彼は言った。それからアントワーヌのほうに向き直って「ここへはたびたびやっておいでですか?」

アントワーヌは、そうだと答えかけた。だが、ラシェルの前を考えてやめた。

「いや、めったに」と、彼は言った。

ラシェルは、目で、マリ・ジョゼフと踊りはじめているアニタを追っていた。

柔軟なアメリカ女の肉体は、白じゅすの薄物の中にしっくり包まれていた。それは、鳥の羽根のようにつやつやしく、その真珠色のつやは、彼女の長い足のひとつひとつの動きを明らかに描きだしていた。

「きみ、あしたメーゾン・ラフィットへ行く?」と、アントワーヌがたずねた。

「きょうの夕方、帰ってきたところなんです」と、ダニエルが言った。彼は、ジャックのことを話したかった。だが黄色いショールに身を包み、誰か目でさがしているらしいスペインふうの若い婦人の姿を見ると、立ちあがった。「失礼」彼は、とつぜん、ささやくようにそう言ったと思うと、向こうのほうへ歩いていった。彼は、その婦人のショールの下にいんぎんに腕をすべり込ませ、そして、ボストンを踊りながら、彼女を楽師たちのいるすみのほうへひっぱって行った。

いっぽうアニタは立ちどまっていた。ラシェルは、アニタが、さも美しい白鳥といったような、いかにも落ち着いた優雅さで踊り手の波をかきわけ、アントワーヌとラシェルがテーブルを前にしてすわっている片すみさして泳いでくるのを見た。アニタは、アントワーヌの掛けていた椅子すれすれに、ラシェルが腰をおろしていたベンチに近づき、ハンドバッグからなにか取り出したと思うと、それを手の中にかくし、誰も見てないと思って（ないし、見られたところで気にするでもないといったようすで）、片足を腰掛けの上にのせ、手早く着物のすそをまくると、それをふとものところに刺した。ラシェルは、上下の絹の白さのあいだに、ちらりと明るい栗色の皮膚を見た。そして思わず、まばたきせずにはいられなかった。アニタは、まえのようにすそをおろした。そして、いかにもものういといったようすで立ちあがると、褐色の頰の上に、真珠で耳たぶのところにとめられた水晶の耳飾りをきらめかしながら、落ち着きはらったようすで友だちのいるほうへ引きかえして行った。

ラシェルは、ふたたびテーブル・クロースの上にひじをついた。そして、ほとんど両目をとじたまま、冷たいリキュールをゆっくり飲んだ。ヴァイオリンのやさしい愛撫、あまりに表情をこめてぐっと長くひかれたその響きは、疲れきった彼女の気持ちを、いらだたしさにまで押しあげていった。

アントワーヌは女をみつめていた。

「ルルー（ラシェルの愛称）……」と、彼はつぶやくように言った。

女は目を上げた。そして、杯の中の砕いた氷を、その最後の緑色の一滴まで飲みほしてしまった。そして、彼のほうへ、思いがけない笑いをふくんだ、ほとんど無作法とさえ思われるほどの眼差しをそそぎかけながら、こうたずねた。

「あなた、いっぺんも……黒人の女を見たことがない？」

「うん」と、アントワーヌは、頭を勇ましく横に振った。

女は口をつぐんだ。複雑な微笑が、その唇にのぼろうとしてたゆたっていた。

女はすでに立ちあがり、夜の仮装舞踏会のドミノ（そでのないゆるやかな外套）とでもいったような、じみなタフタの外套に身を包んだ。そして、アントワーヌは、彼女のあとから入口の回転ドアの中にはいりながら、キッととざされた女の歯と歯のあいだに、またもや、あのひっそりした小さな笑い声を聞いてひやりとした。

十二

ジェロームがまだパリで暮らしていた時分、彼は、天文台通りの家の家番に、自分あての印刷物をとめておくように頼んでおいた。そして、ときどき、郵便物を取りに家番室にやってきた。やがて彼は、居所を知らせることなしに、姿をみせなくなってしまった。そして、そうした二年間というもの、彼あての郵便物がたまっていた。そこで家番は、彼がメーゾン・ラフィットへ帰って来たと聞くやいなや、ダニエルの手からあて名人に渡してもらうことにしたのだった。

ジェロームは、そうしたごたごたした印刷物の山の中に、二本の古い手紙を見いだしてハッとした。

その中の一本、八カ月まえの日付になっているぶんは、彼がもうずいぶんまえからすっかりあきらめてしまっていたドジな事業の清算が済み、自分の貸方に、六千何百フランかの金が払いこまれていることを知らせたものだった。

彼の顔ははればれと輝いた。こうして金がもどってくれたということから、彼は、メーゾン・ラフィットへ帰って以来、自分の上に重くのしかかっていた不快な気持ちを、その最後の最後まで吹きはらってもらうことができた。そうした不快な気持ち、それは、単に自分として居場所のない家庭に身をおいているというためだけではなく、じつは自分の誇りをそこねつづけていた金銭上の不自由さにも原因しているものだった。

(夫妻は、五カ年まえからおのおの独立の生計を立てていた。フォンタナン夫人は、離婚だけはあきらめていた。だが彼女は、夫の手から、父の牧師から譲られたわずかばかりの財産を取りもどしてしまっていた。その財産は、すでにだいぶ食われてしまっていたにしても、そのおかげで、きょうまでのところ、いままでの住まいもそのまま、子女の教育についてもたいしてけちけちせずに、どうやら暮らしを立ててこられたのだった。いっぽう、ジェロームのほうでも、まだすっかり自分の財産を使いはたしていたわけでもなかったので、いろいろ取引をつづけていた。ノエミのしりを追ってベルギーやオランダに出かけたときでも、彼は取引所で株をやり、相場をやり、新しい事業への投資もこころみていた。そして、元来軽率な性質にもかかわらず、一種のかんがあり、いっぽうその冒険的な気性に助けられて、彼は、往々有利な事業に投資していたのだった。そのおりおりの浮き沈みこそあれ、なにしろ生活だけは立てられていた。しかも多くの場合、なかなか堂々とやってのけられていたのだった。しかも、ときおり、妻の口座に千フラン紙幣何枚かを払いこんでやっては、自分もジェンニーとダニエルとの養育にひと口参加しているのだと思うことによって、心の不安をねむらせることも忘れなかった。だが、外国生活最後の何カ月かのあいだに、彼の立場ははなはだ心もとないものになってしまっていた。いまでは、自分の資産を引き出すこともできなくなってしまっていた。そして、妻がアムステルダムに持ってきてくれた金をかえすことはおろか、妻の厄介になって暮らすよりほかに道がなくなっていた。それが彼にとってはつらかった。とりわけ、妻に自分の気持ちが誤解され、さも自分が食うに困るため、家にかえって来たと思われることがつらかった。)

そんなわけで、わが手にもどってきたこの思いがけない金額は、いささか威厳を取りもどさせてくれるものだった。いよいよ自由になれるのだ。

このことを一刻も早く妻に知らせようと、いやしげな筆跡にどうも心当たりのない二番めの手紙の封を切りながら、戸口のほうへ歩きかけていた彼は、思わずハッと立ちどまった。

お手紙を差しあげます。じつはお耳に入れなければならないことが起こりました。あたし、べつにそれを悲しんでもいませんし、かえってうれしくさえ思っています。なにしろいままで、ひとりぼっちでいたことがなさけなさすぎたんですから。でもあたし、そのために仕事は取りあげられ、これから先どうしていいかわかりません。こうなったあたしを、いまさら着のみ着のままでお捨てにもなりますまい。いやでも人目につくようになりましたし、もう奉公だってできますまい。とうぜん、自分の手で育てなければなりません。子供のためにも、いまお金といったら三十フランと十スーあるだけ。

あたし、あなたをおとがめしているのではないのです。ただこの手紙をごらんになって、親切な気持ちを持っていただきたいだけ。なにしろ、あしたかあさって、せめて木曜までに、まちがいなくお助けいただきたいんですの。そうでないと、あたしいったいどうなることやら。

真実あなたをおしたいしている

V・ル・ガッド

最初彼にはわからなかった。《ル・ガッドって?》だが、たちまち彼は思いあたった。「ヴィクトリーヌ……クリクリだ!」

そこで、彼はあともどりした。そして、手紙を指のあいだにひっくりかえしながら、椅子に腰をおろした。「あしたかあさって……」ようやく消印の日付を読みわけることのできた彼は、数えてみた。手紙は、二年まえから待っていたのだ! かわいそうなクリクリ! その後どうなってしまったろう? 自分からの返事のないのを、いったいどう思ったことだろう? 子供はどうなってしまったろう? 彼は、いろいろ心のうちにたずねてみた。だが、それには、なんら心底からの感動もなく、われ知らず見せたきのどくそうな表情にしても、まったくお座なりのものにすぎなかった。だが、純潔な、ぴちぴちふるえる肉体、清らかなふたつの目、少女のような唇、それはいま、彼の心によみがえり、しだいしだいに悩ましさを加えていった。

　クリクリ……いったいどうして彼女を知ることになったのだろう？　そうだ！　ノエミのところでだった。ノエミが彼女をブルターニュからつれてきたのだ。それから？　彼女を二週間ばかり郊外のホテルに隠しておいた。だが、そのホテルのことは、どうもはっきり思いだせない。どうして彼女と別れることになったのだったか？……それから二年して、ノエミが姿を消していたあいだに彼女と会ったときのことは、ずっとはっきり思いだされた。彼は、夕方忍んでいった屋根裏の女中部屋のこと、それにつづいて女をかこっておいたリシュパンス町のホテルのこと、彼女とそこで、二、三カ月——あるいはもっとながいあいだ愛情を復活させたことなど、ありあり思いだされた。

　彼は、もう一度手紙を読みかえし、日付を調べてみた。彼の頭は、ふたたびわき起こってきた情熱におかされ、その眼差しは乱れていた。彼は立ちあがり、水をいっぱい飲むと、クリクリの手紙をポケットの中にすべりこませた。そして、銀行家からの通知を手にしながら、妻のところへ出かけていった。

　それから一時間の後、彼はパリ行きの列車に乗っていた。

午前十時、九月の太陽を浴びながらサン・ラザール駅を出たとき、彼は何かしら楽しい目まいを感じた。彼は、銀行まで車を走らせ、そこの金網のまえで足ずりしていた。そして、受領証に署名し、紙幣のたばを紙入れの中にたたみこみ、さて待たせておいた車に飛びのるやいなや、彼は、今度こそ永久に、これで、何週間かのやみの中からのがれることができた、これで生きかえることができたといったような気持ちになれた。

彼は、パリ中を、家番から家番へと調べはじめた。それはきわめてめんどうで、最初のうちはなんの手がかりも得られなかった。だが、午後の二時ごろになって、しかも昼飯も食わずに歩きまわった彼は、バルバンという婦人のところ、マダム・ジュジュとも呼ばれている女の住まいをたずねあてた。おりからマダムはるすだった。だが、若い、おしゃべりな女中がいて、そのル・ガッドさん、《別名リネットさん》ならよく知っていると言った。

「でも、あのかたがお部屋をお持ちのホテルには、水曜日、あのかたの《出の日》でなければけっしてお見えになりませんのよ」

ジェロームは顔を赤らめた。だが、それこそ一条の光だった。

「知ってるよ」と、彼は、さものみこんでいるような微笑を浮かべながら言った。「だから、べつのほうの家の番地が知りたいのさ」

ふたりは、さも仲のいい友だち同士といったように顔を見あわせていた。《いい女だな》と、ジェロームはすぐに考えた。だが、彼はいま、クリクリのことだけしか考えたくないと思っていた。

「ストックホルム町ですわ」と、やがてのことに、微笑しながら女中が言った。

ジェロームは車をそこまで走らせた。そこでおりると、わけなく家が見つかった。いま、胸にしみいる悲しい気持ち――すでにそれと戦いながらも、自分でそれをみとめようとしていなかった悲しい気持ちが、彼をけさからきおいたたせていたあらゆる感情に取ってかわりかけていた。

外の白日光の中から、なんのまえぶれもなく、ここの住まいのとりすましたほの暗さの中に歩み入った彼は、戸まどいせずにはいられなかった。通された《日本風》の部屋、といったところで、ベッドの上の壁にひろげられた勧工場ものの扇以外、なんら日本風らしいもののない部屋の中にはいっていった彼は、帽子を手にし、のんきなかっこうで突っ立っていた。そうした彼の姿を、どちらを向いても、容赦なく鏡がはねかえして見せていた。彼は、ソファのはしに腰をおろすことにした。

やがて、さっとドアがあけられた。そして、モーヴ色の下着をつけたひとりの女が、姿をあらわすなり、ハッとばかりに立ちすくんだ。

「あら!……」と、女が言った。彼は、女が、部屋をまちがえたにちがいないと思っていた。だが、女は、はいってくるなり機械的にしめたドアのところまですさって行くと、つぶやくように「まあ、あなた?」と言った。

彼には、まだそれが彼女であるとわからなかった。

「おまえ?　クリクリ?」

リネットは、ジェロームが、ポケットから武器を取り出しかねないとでも思ったように、彼からじっと目をはなさず、腕をベッドのほうへのばしたと思うと、そこにかけてあった布を引きよせて身をくるんだ。

「なんですの？　どなたのご用で？」と、彼女はたずねた。

彼は、髪を短く刈り、メーキャップされた美しい女のしもぶくれの顔の上に、かつての日のクリクリの面ざしをみつけようとむなしく努力していた。彼女には、もうかつての日の、あのさわやかな、いかにもひなびた声さえうかがえなかった。

「なんのご用ですの？」と、女はつづけた。

「クリクリ、会いに来たんだよ」

彼は、やさしいちょうしで話していた。彼女は、それを誤解して、一瞬当惑したらしいようすを見せた。やがて、彼をながめるのをやめた女は、どうやらすべてについての決心をつけたらしかった。

「どうともご随意に」と、彼女は言った。

そして、からだをくるんでいたベッド・カヴァーもそのままに、ただ、胸と腕のあたりを少しはだけながら、ソファまで歩みよって腰をおろした。

「どなたのご用でいらしったんですの？」と、彼女は、うつむきこんでくりかえした。

彼には、女のたずねている意味がのみこめなかった。彼は、立ったまま、気おくれしながら、自分が長いこと外国に行っていたあとでフランスに帰って来たこと、ついいましがた彼女の手紙を見たことを証明して聞かせた。

「あたしの手紙？」と、彼女は目を上げて言った。

彼は、女のひとみの、昔どおりに純な、緑がかったねずみ色の輝きをみとめた。彼は封筒を出してみせた。女は、それを手にすると、うつけたようすでそれに目をなげた。

「そうでしたわ！」と、女は、眼差しにうらみをこめながら、はき出すように言ってのけた。そして、手紙を手にしたまま、長いこと頭を上下にふっていた。「それにしても！」と、彼女は言った。

「ご返事もくださらないなんて！」

「だって、クリクリ、けさはじめて見たんだもの！」

「そんなことはどうでもよござんすわ！　なにしろ、ご返事ぐらいくだすってもよかったはずよ」

彼女は、強情に頭を振りながら言った。

彼は、気をねらして言葉をつづけた。「それどころか、取るものも取りあえずやって来たんだ」そして、おっかぶせるように「で、子供は？」

彼女は、唇をかみ、つばをのみこみ、何か口に出そうとした。だが、目にいっぱい涙をためながら、黙りこんでしまった。

やがてのことに女は言った。

「死にました。月足らずで生まれて」

ジェロームはためいきをついた。それは、ホッとした安堵のためいきに近かった。彼は、リネットの見すえているきびしい眼差しをうけながら、慚愧《ざんき》と痛恨とにさいなまれながら、ひと言も口がきけなかった。

「それもみんなあなたのせいですわ」と、女は言った。（彼女の声は、眼差しほどにはけわしくなかった。）「あたし、けっして淫売婦なんかではありませんでした。それはあなたもご存じですわね！　あたし、二度までもあなたのお言葉を信じました！　あたし二度までも、なにもかもふり捨てて、あなたのあとについて行きました！　そして、あなたが二度めにあたしを捨てて行ってしまいになったとき、あたしどんなに泣いたことでしょう！」彼女は、肩をそびやかして、口もとを少しまげながら、下から彼を見上げていた。その目は、涙をとおして、さらに緑色に輝いていた。彼は、いらいらしながら、胸がせまって、どうした態度を取っていいかわからないままに、つとめて微笑をよそおっていた。（その片頬だけでみせる微笑の、なんとダニエルのそれに似ていることか！）

彼女は、目をかわかした。ついで、しとやかな、思いもかけない声でたずねた。

「奥さまはどうしていらっしゃいます？」

ジェロームには、彼女がノエミのことを言っているのだとわかった。ここへ来る道すがら、彼はクリクリを興奮させ、自分の考えているはっきりした計画をだいなしにするような感情なり言いがかりを目ざめさせないようにと、ノエミの死については口をつぐもうと決心をしていた。そんなわけで、彼はなんら考えてみる必要もなく、用意しておいたとおりの嘘をついた。

「奥さまかい？　外国へ行って芝居をやっている」だが、それにつづいて「達者にしているだろう」と言ったときには、さすがに軽い感動をおさえきれなかった。

「お芝居を？」と、リネットは尊敬の気持ちをこめて言った。

ふたりは口をつぐんだ。彼女は、ジェロームのほうに向きなおって、なにか待ちもうけているようすだった。彼女は、

「でも、それだけのことでおいでだったのではないでしょう？」と、言った。

ジェロームには、ちょっと合図さえしたら、リネットが自分の言うなりになるだろうことがわかっていた。だが、彼には、けさから、まるで猟に出たグレイハウンドのようにこの獲物のあとを求めてパリ全部を駆けまわらせた狂熱的な欲情は、いまそのかげさえとどめていなかった。

「いや、ほかに用事はなかったんだ」と、彼は答えた。リネットはびっくりしたようだった。ほとんどムッとしたようだった。

「あの、ここでは……あたりまえのお客さまはできないことになっていますの……」

ジェロームはいそいで話題を転じた。

「どうして髪を切ったのだい？」

「ここでは、そのほうが受けがいいから」

彼は、体裁をつくろおうとして微笑した。これ以上、もうなんの言うべきこともなかった。それでいて、彼には帰ろうという決心がつかなかった。心の底にふかくひそんでいる何かしら物たりない気持ちが、ここにまだなにか重要な用事でもあるかのように、彼をこの部屋に引きとめていた。といって、なんの用事があるだろう？　かわいそうなクリクリ……すでに不幸になってしまっている。いま

さらなんともしかたがないのだ……なんとも？

こうした沈黙にちょっと当惑させられたリネットは、こっそりジェロームのようすを観察していた。そこには、恨みというより、むしろ好奇心のほうが強かった。いったいこの人は、なんでもどって来たのだろう？　あいかわらず、自分を少し好きなのだろうか？　そう考えると、彼女の心はかき乱された。そしてたちまち、彼から、もうひとり子種がもらえるかもしれないという考えが心をかすめた。がっかりしていたあらゆる希望が、一瞬にして活気づいた。ジェロームの息子、ダニエルの弟、この自分のものになる子供、この自分だけのものになる子供……彼女は、あわやゆかに身をすべらせ、ジェロームのひざをしっかり抱きしめ、哀願の面をふりあげながら《あたし、あなたの子供がほしいのよ！》と、つぶやくように言いかけた。だが、それこそは、ほんの一時の気まぐれから、これまでたんねんに築きあげてきた将来全部を打ちこわすことにほかならなかった。彼女は、目に見えないほどの身ぶるいをした。そして、一瞬その目を不可能な夢のほうへ放ちはしたものの、かたく口をとざして《だめ。そんなことはとうていだめ！》と、心の中で考えた。

「ダニエルさんは？」と、思いだしたように彼女は言った。

「誰？　ダニエル？　息子のダニエルかい？」彼は、気まずそうなようすで言った。「おまえ知ってるのか？」

リネットは、はっきりなぜとはわからなかったが、ジェロームの帰って来たのが、あるいはダニエルのはからいではなかったろうかと考えていた。彼女は、ダニエルの名を口にしたことを後悔した。

彼女は、ぜったいになにも言うまいと決心していたのだった。父と子に、たがいがひとつの関係、入りまじったおなじ恋愛関係にはいっていることなど、ぜったい知らせたりしてはならないのだ……

彼女は、あいまいな返事をした。

「知ってるどころですか？　パリじゅう知らない人ってありませんわ。あたしもお目にかかりましたの」

ジェロームは、ますます心配になってきた。だが、彼には《ここで？》とたずねるだけの勇気がなかった。

「どこで？」と、彼は言った。

「ほうぼうで。ナイト・クラブで」

《そうか！》と、彼は思った。《そんなことではないかと思っていた。あの子の生活ぶりのことでは、これまでにも言ってきかせてやったものだが！》

彼女は、急いでつけ加えた。

「でも、それずいぶんまえのことですわ……いまでも行っておいでになるかどうか。たぶん、あたしみたいだろうと思いますわ。あたし、いまでは、すっかりまじめになっていますの」

彼はじっと女をみつめた。だが、なんとも返事をしなかった。彼は、しん底痛嘆にたえない気持ちで、青年たちの放埒《ほうらつ》な生活、風俗の弛緩、それにこうした家、こうして悪に身をまかせている女のことを考えていた……

《人生って、なぜこうしたものなんだろう？》と、彼は考えた。とたちまち、胸が苦しくなり、後悔を感じた。

リネットは、彼女があらゆる活動力をそのほうへ向けていた将来の夢にふたたび身をまかせ、ガーターに音を立てさせながら、高く声に出してその空想を語りはじめた。

「そう、あたし、もうだいたい足が抜けましたの。だから、あなたのこと、おうらみしてはいませんわ……このまま真剣に働いたら、三年したらパリにもおさらばができそうなんですの。こんなきたならしい、なさけないパリなんかに！」

「三年とは、どうして？」

「だって、数えてみて。あたし、ここへ来てからまる一カ月にもならないんですの。しかも、毎日手取り五十フランから六十フランというお金がはいりますの。一週間で四百フラン。ねえ、三年すると、いいえ、おそらくもっと早く、三万フランできますわ。そうしたら、あたし、クリクリも、リネットも、なにからなにまでおさらば！　ヴィクトリーヌは、お宝をかかえて、一切合財のしたくをして、ぽんとラニオン行きの汽車にとびのりますわ！　仲間たちにもさよなら！」

彼女は笑っていた。

《そうだ、おれもいろいろなことをした。だが、それほど根からの悪い男ではないんだ》と、ジェロームは、絶望的な確信をもって心の中にくり返した。《そうだ、それは複雑なんだ。おれは、自分のやってきたことよりずっとましな人間なんだ。だが、もしこのおれというものさえいなかったら、この女にしても……もしおれというものさえいなかったら！》彼の記憶の底には、ふたたびあの《つまずきをもたらす人は災いなるかな》という聖句が浮かびあがっていた。

「お父さんやお母さんはまだお達者かね？」と、彼はたずねた。

彼の心の中には、まだばくとしているひとつの考え、彼自身では、はやくもそれをおさえようとしはじめていたひとつの考えが、しだいしだいに目をさましはじめていた。

「お父さんは去年サン・イヴの日に死にました」彼女は十字を切ろうとして、ためらいながら言葉を切った。けっきょく、彼女は十字を切らなかった。「いまはおばさんが残っているだけ。おばさんは、教会のうしろ、広場に向かった一軒の小さな家を持ってますの。あなたペロス・ギレックをご存じない？　おばさんには、事実上跡取りといってはあたしのほかにないんですの。とはいうものの、おばさんには財産もなく、家があるだけ。おばさんは、年金で暮らしているんですの。年に千フラン。おばさんは、長いこと華族さまのところにご奉公していました。それは、いまは、教会で椅子を貸すのを商売にしていて、それがいくらかになるんですの……ところで」と、彼女は言葉をつづけた。そして、その顔は明るく輝いた。「マダム・ジュジュの話だと、元金三万フランあると、おなじくらいな、でないにしてもだいたいおなじほどの年金がもらえるんですって。たりなかったら、あたし働いてかせぎますわ。そして、おばさんとふたりで暮らしますの。ちゃんと約束していますの。そして、国では」と、彼女は、小さなしゅすの靴の中に動く足指を見ながら、大きなためいきをついて言葉をむすんだ。「国では、誰もあたしのことを知ってませんの。だから、これでおしまい。すっかり忘れてしまえるんですの！」

ジェロームは立ちあがっていた。いま、彼の考えは発展をつづけ、彼をしっかり取っておさえていた。彼は幾歩か、右に左に歩きまわった。自分のふとっ腹を見せてやらなければ……つぐないをしてやらなければ……

彼はリネットの前に立ちどまった。

「あんたは、生まれ故郷のブルターニュが好きかね？」

彼女は、《あんた》と言われたのに驚いて、急には返事ができなかった。

「だって！」と、やっとのことで言った。

「よし、それなら、そこへ帰るがいい……そうだ……まあお聞き」

彼はふたたび歩きはじめた。彼は、だだっ子らしい、気みじかな気持ちになっていた。《いますぐそうしなかったら》と、彼は思った。《二度と責任を持ってやらない》

「こうなんだ」と、彼はせき込んだ声で言った。「国へ帰ることにするんだ！」そして、彼女をじっとま正面からみつめながら「今夜すぐにだ！」と、はき出すように言ってのけた。

彼女は笑いだした。

「あたし？」

「そうさ、あんたが」

「今夜？」

「今夜」

「ペロスへ？」

「ペロスへ」

彼女は、もう笑ってはいなかった。伏し目になり、ふきげんらしい表情を浮かべながら、じっと彼を見つめていた。またこの自分をばかにするなんて？　事もあろうに、そんなじょうだんを言うなんて？

「さて、あんたに、おばさんのように、年金が千フランあったとすると……」と、彼は話しはじめた。

彼は微笑を浮かべていた。それは悪意のない微笑だった。ところで、その千フランがどうだというんだ？　彼女は、落ちついて計算し、それを十二で割ってみた。

彼は、微笑するのをやめて言葉をつづけた。

「あんたのところの公証人の名は？」

「公証人て？　どの？　ブニックさん？」

ジェロームは、ぐっとからだをそらした。

「いいか、クリクリ。ぼくはあんたに誓って言う、これから、毎年、九月一日、あんたはブニック君の手を経て、ぼくから千フランの金を受け取るんだ。そして、今年の分として、それ、ここに千フラン」と、彼は紙入れをあけながら言った。「そして、別に千フラン。あんたが国へ帰って落ちつくための金だ。さ、お取り」

彼女は目を見ひらき、唇をかみ、なにひとこと言わなかった。金はそこ、彼女の目の前、手を出しさえすれば取れるところにあった……その心に、いまもなお、きわめて純真なものを心の中に持っていた彼女は、あっけにとられはしたものの、けっしてうたがったりする気持ちにはなれなかった。彼女はとうとう、ジェロームが根気よく取れと言ってくれた紙幣を受け取り、それをできるだけ小さくたたむと、靴下の中にすべりこませた。そして、なんと言っていいかわからず、ジェロームの顔をじっとみつめた。彼女には、彼を抱いてキスするといった考えさえも浮かばなかった。彼女は、自分がどういうものであるか、かつてふたりがどういう関係にあったのかさえ忘れていた。彼女にとって、彼はいま、ふたたびプチ・デュトルイユ夫人の恋人にかえってしまっていた。そして、最初のころとおなじように、気おくれを感じていたのだった。

「ただし、ひとつ条件がある」と、彼はつけ加えた。「今夜すぐにたってほしい」

彼女はびっくりした。

「今夜？　きょうすぐ？　あら、だめよ！　とてもだめだわ」

彼としては、もし実行を一日延ばすようだったら、こうした善行もやめにしようという気持ちだった。

「今夜すぐにだ。ぼくの見ている前で」

彼女は、彼が言いだした以上、ぜったいひかないであろうことを見てとった。そして、たちまち腹が立ってきた。今夜だって？　正気のさたといえるだろうか！　第一、それは彼女の商売の時間だった。それに、ホテルにおいてあるいろいろな荷物をどうするのだ？　自分と出し合いで部屋を借りているお友だちをどうしたらいいのだ？　それから、マダム・ジュジュは？　洗濯屋に出してある洗濯物は？　第一、この家にしたって、おいそれと自分を出発させてはくれないだろうし……彼女は、鳥もちにかかった小鳥とでもいったようにじたばたしていた。

「では、マダム・ローズを呼んできますわ」理屈につまった彼女は、目に涙をためながらこう言った。「どうしてもだめなことがおわかりになるわ！　第一、あたし、帰りたいなんて思っていないの！」

「呼んでくるがいい。さ、すぐ呼んでくるがいい」

ジェロームは、さだめしはげしい議論になることだろうと覚悟していた。そして、すぐにも高い声をだす用意をしていた。ところが、マダム・ローズから、いかにもにこやかな微笑を見せられてびっくりした。

「ええ、ええ、けっこうでございますとも」と、彼女は答えた。彼女は、とっさに、警察の手が伸びたものと踏んだのだった。「うちの人たちは、みんな心まかせにしておりましてね。引きとめなんぞいたしません」彼女はリネットのほうに向きなおった。そして、ぽちゃぽちゃした両手を打ちあわせながら、いなやをいわせぬちょうしで言った。「早く着替えをしておいでよ。旦那が待っておいでじゃないの」

リネットは、あぜんとして、両手を組み合わせ、ジェロームとおかみさんとを、かわるがわるみつめていた。大粒な涙のおかげで、顔のおしろいもはげかけていた。頭の中では矛盾しあったいくつもの考えがもつれていた。彼女は、力抜けがして、腹がたって、あきれかえってしまっていた。彼女には、ジェロームがにくかった。それに彼女には、彼に向かって、さっき靴下の中に隠した二枚の紙幣のことを黙っていてくれるようにと合図をしないで家を出て行くことがためらわれた。マダム・ローズは、まっかになっておこりださずにはいられなかった。そして、リネットの腕をつかむと、階段のほうへ押しやった。

「さ、早く言うことをおききよ!」(そして、声を低めて、「いいかい、二度とふたたび家《うち》のしきいをまたぐとしょうちしないから、このいぬめ!」と、彼女の耳もと近くでささやいた。)

それから三十分の後、一台のタクシーは、ジェロームとリネットのふたりを、彼女がそこに宿借りしていたホテルの前でおろした。

彼女は、もう泣いてはいなかった。自分の思い立ちでないだけに、彼女は、出発のあわただしさにすっかり気持ちをまかせきっていた。だが、それでもときおり、歌のくり返しの文句のように、

「三年してからなら文句はないんだけれど……いますぐなんて、困っちまうわ!」と、くり返して

いた。

ジェロームは、それにはなんとも答えずに、軽く彼女の手をたたいてやっていた。そして、心の中に低くくり返していた。《今夜、今夜すぐにだ》彼は、自分の中に、どんな抵抗でも粉砕できる力のあることを感じていた。だがいっぽう、そうした力の限界点も知りすぎるくらい知っていた。一刻たりとも、ぐずぐずしてはいられなかった。

彼は、その月の勘定書と汽車の時刻表を持ってこさせた。晩の七時十五分の汽車があった。

リネットは、彼にてつだってもらって、洋服簞笥の下から、いろいろなものの丸めこんである、黒い、木の古トランクをひっぱり出した。

「商売用の着物ですの」と、彼女は言った。

これを聞いたジェロームは、ノエミの衣類のこと——ニコルがアムステルダムの宿のおかみさんにやってきたあの衣類のことを思いだした。彼は椅子に腰をおろし、リネットをひざにだき上げた。そして、ゆっくり、だが言葉の終わりがふるえたほどの熱意をこめながら、売春婦時代の着物を脱ぎ捨てなければならないこと、いままでの生活を捨てること、昔のような単純さと純粋さにすっかりたちもどらなければならないことを話して聞かせた。

彼女は、おとなしく聞いていた。そうした言葉は、彼女の心の奥の、きわめて昔にさかのぼったあたりにその反響を見いだしていた。《それに》と、彼女は考えずにはいられなかった。《こんな着物、国へ持ってったってなんになるだろう？　大ミサにでも着ていくかしら？　それならそれで、人はなんと思うだろう?》とはいうものの、ずいぶん倹約したすえにこしらえることのできた、レースのついたこれらの下着類、そうしたはでな着物を、むざむざ捨てたり、ないし人にくれてやる決心がつきかねるのも無理がなかった。ところが彼女は、いっしょに部屋借りをしていた友だちに、二百フランだけ借りがあった。帰ることになった以上、この借財は、彼女にとってけっしてなんでもないものではなかった。ところで、こうした衣類を残していけば、ジェロームからの紙幣には手をつけず、借金を払ってしまえるのだ。それで万事はかたづくのだ。

これでまた、黒サージのしわくしゃな着物を着ることになるんだと思うと、彼女はたちまち、まるで仮装舞踏会に行きでもするように手をたたいてはしゃぎだした。彼女は、待ちきれないといったように彼のひざから飛びおり、神経質な声を立てて笑いだし、はげしい嗚咽《おえつ》に襲われでもしたように全身をゆすり上げた。

ジェロームは、彼女の着替えのじゃまにならないように、むこうを向いていた。彼は、窓のそばへ歩みよった。そして、小さな中庭の壁をじっとながめていた。

《なんといっても、おれは他人が考えているよりはましな人間なんだ》と、彼は思った。彼には、自分がいま、こうした善行によってひとつの罪からあがなわれるように思われた。もっとも、彼は、これまで一度も、自分が罪を犯しているのだと心の底からみとめてはいなかったが。

それでいて、彼の落ちつきには、なにかひとつ欠けたものがあった。彼は、うしろをふり向かないままでこうさけんだ。

「ねえ、もうぼくを恨んでいないと言ってくれないか！」

「とんでもない！」

「そう言ってほしいんだ。言ってくれ。ゆるしてくれるって」彼女には、まさかそんなことは言えなかった。

「さ、お願いだ」と、彼は、あいかわらず外を見つづけながら嘆願するように言った。「たったそれだけ言ってほしいんだ」

彼女は思いきって言った。

「もちろん……おゆるししますわ」

「ありがとう」

彼の目には涙がわいた。彼には、自分が大調和の中に立ちもどれたというような、何年かのあいだ、それが得られないでいたあとで、ふたたび心の平和が取りもどせたような気持ちがした。下の階のどこかの窓で、カナリアが一羽さえずっていた。《おれはよい人間なんだ》と、彼は心にくり返した。《みんなはおれを悪い人間だと言っている。みんなは知らないんだ。おれは、自分の行ないにあらわれているのより、ずっとずっとよい人間なんだ》彼の心は、なんという当てもない、なごやかさ、また同情の気持ちにあふれていた。

「かわいそうなクリクリ」と、彼はつぶやくように言った。

彼はふり向いた。リネットは、黒地の上着のボタンをかけおわろうとしていた。彼女は、髪をかき上げてしまっていた。そして、おしろいを洗い落とした彼女の顔は、持ちまえの色つやを取りもどしていた。かつて六年まえ、ノエミがブルターニュからつれてきたときそのままの、臆病な、そして片いじな女中さん、といったようすだった。

ジェロームは、たまらなくなって、彼女のそばへ歩みよった。そして、腰のまわりに片手をまわした。《おれはよい人間なんだ。おれは他人が思っている以上によい人間なんだ》と、彼は心に、歌のおり返しとでもいったようにくり返した。彼の指は、無意識にスカートのホックをはずしかけていた。いっぽう唇は、彼女のひたいの上に、父親らしいキスを押しあてていた。

リネットは、かつての日に劣らぬほどのはげしさで、はっとからだをふるわせた。だが、彼はしっかりだきしめていた。

「あら」と、彼女はためいきをもらした。「いつもとおんなじにおい。ね？　あのレモンのにおい……」彼女は、微笑しながら唇を差し出して、目をつぶった。

それこそは、彼女にささげられるたったひとつの感謝のしるしではなかったろうか？　また、これこそは、ジェロームにとって、こうしたふしぎな興奮の瞬間にあって、自分の心にたえられないほどな宗教的な同情の気持ちを心ゆくばかりあらわすための、ただひとつなし得る行為だったのではなかったろうか？

ふたりがモンパルナス駅についたとき、列車はすでにプラットフォームに並んでいた。客車の腹の

《ラニオン行》と書かれた方向板を見たとき、リネットには、はっきり事実を意識できた。そうだ、ペテンではなかったのだ。彼女はほんとに、何年もまえから楽しみにしつづけてきた夢の完成に到達できたのだった。それなのに、どうしてこんなに悲しいのかしら？

ジェロームは、彼女の席を取ってやった。そしてふたりは、車室のまえを行ったり来たり歩きはじめた。ふたりはもう何も話さなかった。リネットは何か考えていた。誰かのことを考えていた……だが彼女には沈黙を破ろうという決心がつかなかった。いっぽうジェロームも、なにかしら心の中の屈託ごとに悩まされてでもいるらしかった。彼は、幾度も、話しかけようとするかのように、彼女のほうへ顔をふり向けた。そして、そのまま黙っていた。とうとう彼は、女のほうを見ずに打ちあけた。

「クリクリ、じつは、ぼくほんとうのことを隠していた。ノエミは死んでしまったんだよ」

彼女は、何ひとつつくわしいことを聞こうとしなかった。それでいて、彼女は泣きだした。ジェロームにとっては、こうして無言のうちに悲しみをしめしてもらえたことがうれしかった。《おれたちふたり、なんというよい人間なんだろう》と、彼はなんともたまらない気持ちで考えた。

ふたりは、汽車の出るまでひと言も言葉をかわさなかった。ちょっとしたきっかけさえあったら、そして彼女にその気さえあったら、彼女は金を返し、ふたたびマダム・ローズのところへ出かけ、もう一度使ってくれと言うことさえできただろう。そして、ジェロームのほうも、汽車の出るのを待ってじりじりしながら、もはや彼女を救ったことについて、なんの喜びをも感じなくなっていた。

やっと汽車が動きだしたとき、たまらなくなったリネットは、からだじゅうの力をあつめて、ドアから身を乗りだし、「ダニエルさんに……」と、言った。感動のあまり、そこで声がわれてしまった。

「よろしく……」

汽車の響きで、ジェロームには彼女の言葉が聞きとれなかった。彼女にも、それが彼に聞こえなかったことがわかった。彼女の唇はふるえだした。胸にあてられていた手がけいれんした。彼のほうでは、女の出発を見ることのうれしさから、微笑をうかべていた。そして、気どった手つきで帽子を振っていた。

彼の心には、ついいましがた、ひとつの新しい考えが思い浮かんでいた。そして、それを思ってじりじりしていた。すなわち、すぐあとの汽車でメーゾン・ラフィットへ帰り、妻の足もとに身を投げだし、何から何まで――おおよそのところを告白すること。

《それから》と、彼は夕バコに火をつけ、大またに駅を出ながら考えた。《年金のことについても、テレーズに話しておいたほうがいいと思う。きちょうめんな彼女のことだ、ちゃんとまちがえずに払ってやってくれるだろう》

十三

アントワーヌは、一週に何度かラシェルのところにさそいに来ては、晩餐につれだした。

ある晩、出がけに、女は鏡台のところへ行き、ハンドバッグからおしろい入れを出そうとして、一枚のたたまれた紙片を取り落とした。それをアントワーヌが拾い上げた。

「あら？　ありがとう」

彼は、女の声の中に、軽い動揺が見てとれたように思った。ラシェルのほうでも、同時にそうした彼の気持ちを見てとった。

「どうだっていうの？」女は、じょうだんにしようと思った。「なんだと思った？　読んでみてよ！汽車の時刻表なの」

彼は紙片をつき返した。そして、女はそれをハンドバッグの中に入れた。だが彼は、ほとんど間髪をいれずこうたずねた。

「旅行するのか？」

今度こそは、うっかり見せたまゆげのふるえ、微笑のゆがみに、はっきりそれと見てとれた。

「え、ラシェル」

女は、もう微笑を浮かべてはいなかった。《ああ》苦しい思いにハッと胸をつかれながらアントワーヌは思った。《いやだ……おれは、ほんのしばらくでも、彼女なしではいられないんだ！》

彼は、女のそばへ歩みよって腕にさわった。女は、彼の胸にガバと身を投げて、しゃくり泣きをはじめた。

「どうしたんだ？……え、どうしたんだ？」と、彼は、口ごもるように言った。

女はすぐ、とぎれとぎれな声でこう答えた。

「なんでもないの。ほんとになんでもないの。神経がたってるだけ。ねえ、なんでもないの。あの、ゲ・ラ・ロジエールにある子供のお墓のことを考えてたの。もうずいぶん久しく行かずにいる。だから、近いうちに行ってやらなければ。ね？　びっくりさせたりしてごめんなさい」だが、女は、急に彼を抱きしめながら、うめくようにこう言った。「ねえ、あなた、ほんとうにあたしが好き？　あなた悲しい？　もしいつか……もしいつか……」

「よしてくれ」と、彼はつぶやくように言った。彼は、ラシェルが、自分の生活にどれほど重要であるかをはじめて思い知らされてギョッとしていた。彼は、おずおず言葉をつづけた。「るすになるんだね……だいたい幾日くらい？」

彼女は、身を振りほどいた。そして、つとめて笑って見せようとしながら、目を洗うため、化粧台のほうへ駆けて行った。

「こんなに泣いて、あたしばかだわね」と、女は言った。「そう、ちょうどきょうのような夕方だったわ。そして、ちょうど晩ご飯をたべに行こうとしていたところだった。あたし、お友だちの連中――あなたの知らない人たちよ――といっしょに家にいたの。するとベルが鳴った。電報。コドモキトク、スグキタレ。あたし、はっきりわかったの。そして、着のみ着のまま駅へ駆けつけた……金モールを飾ったテュル織の帽子、そして甲のむき出しになった靴のまんまで。あたし、行きあたりばったりの汽車に飛びこんだ。あの時の夜っぴての旅、ひとりぼっちで、がたがたふるえて……むこうへ着いたとき、どうして気がちがわずにいられたのかしら？」女は、彼のほうを向いた。「待っててね。自然にかわかしたほうがいいの」女の顔はとつぜん生きいきと輝いた。

「ねえ、もしあなたにご親切があったら？　あたしといっしょに来てくださらない？　ねえ、二日あったらいいのよ。土曜と日曜。ルアンかコードベックでひと晩泊まるの。そして、あくる日、ゲ・ラ・ロジエールの墓地へ出かけるの。ふたりで行けたら、どんなに楽しいかしら！　そう思わない？」

ふたりは、九月の最後の土曜日、よく晴れた午後に出かけた。汽車はほとんどがらあきだった。そしてふたりは、自分たちの車室の中で、まったくのふたりきりだった。

アントワーヌは、こうして二日間ほね休みができ、ふたりさし向かいでいられるというので有頂天になり、気持ちもぐったりゆるみ、その眼差しも若々しく、とても上きげん、まるで子供のようにはしゃぎまわって、網棚いっぱいの荷物を持ちこんだといってはラシェルをからかい、また、たんのうするほど彼女をながめたいといっては、わざと彼女のそばをはなれて腰をかけるほどの浮かれかただった。

「ほっといてよ」と、女は、とうとうそう言わずにはいられなかった。彼はおりから、窓掛けをおろそうとして、ふたたび立ち上がったところだった。「あたし、まさか溶けちまいもしないだろうし」

「それはそうさ。だが、きみに日があたってると、とてもまぶしくて、目をあけていられないんだ!」それはまさにそのとおりだった。日の光が彼女の顔の皮膚を照らし、その髪の毛を燃えあがらせていると、長く見ているると目がくたびれてくるほどだった。

「いままで一度もいっしょに旅をしたことがなかったね」と、彼は言った。「考えたことがある?」女は、微笑できなかった。いささかひきつれたその口のあたり、そこには、何かしらはげしい、思いつめたようなものがうかがわれた。彼はのぞきこんだ。

「どうかした?」

「なんともないの……ただ旅に出ると……」

彼は、自分が身がってにも、この旅の目的を忘れていたことを思いだして口をつぐんだ。だが、女のほうで説明してくれた。

「あたし、旅に出るといつも気分が悪くなるの、駆けるように過ぎてゆく風景……そして行きつく先の、知らない世界!」彼女の目は、一瞬、走り去って行く地平のほうへそそがれていた。「あたしもう、汽車にも船にも、いやっていうほど乗りあきたの！」そう言いながら、女は顔を曇らせた。

アントワーヌは、女のそばへ身をすべらせ、腰掛けの上に横になると、首筋を彼女の着物のくぼみの上にのせた。

「Umbilicus sicut crater eburneus」(前出。《なんじの腹は象牙の壺のごとし》)と、彼はつぶやいた。それから、ちょっと黙っていたあとで、ラシェルの気持ちが自分から離れているのに気のついた彼は、「なにを考えてる？」と、女にたずねた。「なにも」女は、つとめて快活さを装おうとしていた。「たぶん、学校の先生ふうなあなたのネクタイのこと！」女はそのネクタイの下に指を一本すべりこませながらこうさけんだ。「あなたっていうかた、旅に出てさえ、結びめをもう少しゆるく、もう少し楽にしようと思わないんだから！」女は、伸びをしながら、微笑しつづけていた。「ふたりきりになれるなんて、なんてうれしいことかしら……ね、なんとか言ってよ！　いろいろお話をしてよ！」

彼は笑ってみせた。

「だって話のほうはきみの受け持ちじゃないか！　ぼくはいつでも、やれ病人だ、やれ試験だ……どうして話の種なんか仕込めるもんか？　これまでぼくは、穴の中のもぐらみたいに暮らして来た。その穴の中から、きみがひっぱり出して、世間をながめさせてくれたんだ！」

彼はいままで、彼女の前で、こうして告白を一度も口にしたことがなかった。女はうつむいて、両手で、自分のひざの上におかれたなつかしい男の顔をおさえながら、じっとそれにながめ入っていた。

「ほんと？　え、ほんと？」

「ねえ」と、彼は、されるままになりながら言った。「来年は、夏じゅうずっとパリにばかりいないことにしようや」

「いいわね」

「ことし、ぼくは休暇をとらなかった。だから、二週間休暇がもらえるようにつごうをつけよう」

「いいわね」

「ことによったら三週間」

「ええ」

「ふたりして、どこでもいい、いっしょに行こうや……どう？」

「いいわね」

「なんなら山へ。ヴォージュの山の中へ。でなければ、スイス。もっと遠くにするかな？」

ラシェルは、考えこんでいた。

「なにを考えてるんだ？」と、彼は言った。

「そのことなのよ。そう、スイス。いいわね」

「でなければ、イタリアの湖水」

「あ、それはいや！」

「なぜさ？　イタリアの湖水、きらい？」

「きらい」

彼は、あいかわらず横になったまま、そして、汽車の振動に身を揺られながら、女の意見に賛成した。

「よし、では別のところへ行くことにしよう……どこでもいい、きみの好きなところへ」だが、ちょっと間をおいてから、彼はなんでもないようなちょうしで言葉をつづけた。「どうしてイタリアの湖水がいやなんだね？」

女は、その指先を、アントワーヌの顔の上、まぶたの上、それに、頬のあたりとおなじようにいさかくぼんでいるこめかみの上にすべらせていた。女はなんとも返事をしなかった。彼は、目をつぶっていた。だが、うとうとしている頭の中に、その考えが離れなかった。

「イタリアの湖水がいやなわけ、どうしてぼくに言いたくない？」

「アーロンが死んだから！　あたしの兄さん、知ってるわね？　パランツァで死んだの」

彼は、しつこくたずねてまずかったなと思った。それでいて、彼はふたたび言葉をつづけた。

「ずっとそこで暮らしていたの？」

「じゃないの。旅行中のことだったの。新婚旅行に行っててね」女はまゆをよせた。そして、一瞬ののち、さもアントワーヌの気持ちを見てとったとでもいったように、つぶやくようにこう言った。

「それにしても、あたし、そうしたことをずいぶんみてきた……」

「姉さんとは仲がわるいのかい？」と、彼はたずねた。「いままで一度も話したことがなかったが」

汽車がとまりかけていた。女は立ちあがって、戸口からからからだを乗り出していた。だが、アントワーヌの質問を聞いていたにちがいなかった。女はくるりとふり返った。

「え？　姉さん？　クララのこと？」

「きみの兄さんのお嫁さんさ。兄さんは、新婚旅行中に死んだっていうじゃないか」

「姉さんもいっしょによ。あたし、お話ししなかったかしら……まだだった？」女は、じっと外をながめつづけていた。「ふたりとも、湖にはまって死んじゃったの。どうしてだか、誰も知ってる人がないの」彼女はためらった。「誰も――知ってるとすれば、たぶんイルシュだけ」

「イルシュ？」と、彼は、ひじの上に身を起こしながら言った。「では、やっぱりいっしょに行ってたのか？　では……きみもいっしょに？」

「あ、その話、きょうはやめ」女は、もとの席にかえると、腰をおろしながら、たのむようにそう言った。

「ハンドバッグを取ってよ。あなた、お腹《なか》すかない？」女は、円いチョコレートを取り出して銀紙をはぎ、歯のあいだにくわえながら、それをアントワーヌのほうへさし出した。彼は、微笑しながら、女の相手になってやった。

「ね、こうして食べるとずっとおいしいわ」そう言いながら、女は、いじのきたなさそうな目まぜをした。そして思いがけなく、まったくとつぜん話しはじめた。「クララって、イルシュの娘だったのよ。これでわかった？　あたし、その娘さんを通してお父さんを知ったの。まだお話ししなかったかしら？」

彼は、まだといったようすをしてみせた。だが、彼は、この新しい事実を、いままでに知っていた事実と結びつけ、さらに進んで問いかけてみることをしなかった。それにラシェルは、いつも彼が聞かなくなったときにするように、ときを移さず自分のほうから話しはじめた。

「あなたクララの写真見なかった？　いつかさがしてお見せするわ。あたしのお友だちだったの。あたし、下の組ではじめて会った。で、あの人も、オペラ座にはたった一年しかいなかったの。からだがつづかなくって。それにたぶん、イルシュが自分の手もとにおきたがったせいもあっただろうし。おそらくそうよ……あたし、あの人とお友だちになって、毎日曜ヌィイーの調馬場に遊びに行った。こうしてあたし、あの人といっしょに、はじめて馬の乗りかたを習ったの。そして、あとでは、あたしたち三人、いっしょに乗るようになっちゃったの」

「三人って？」

「クララと、イルシュと、それにあたし。復活祭のあとでは、あたし、一週に三度、朝の六時にふたりをさそいに行った。八時には、オペラ座に帰ってこなければならなかった……その時刻には、ボワ（ブーローニュの森）はまったくあたしたちだけ。とても気持ちがよかったわ」彼女はちょっと口をつぐんだ。彼は腰掛けにひじをついたまま、じっと彼女をながめていた。そして、身動きしないでいた。「まったくおてんばの気まぐれ娘」と、思い出の糸を手さぐりながら、女はつづけた。「向こうみずで、とてもよい人。きれいな、ちょっとちゃめっけのあるきれいな人。そして、ときどき、お父さんそっくりのこわい目つきがちらりと光るの。そのころ、あたしといちばん仲よしだった兄さんは、何年かまえから首ったけで、あの人をお嫁さんにもらいたいばかりにいっしょうけんめい働いてたの。ところがクララは承知しなかった。もちろんイルシュも反対だったの。ところが、クララは、とつぜん決心した。あたしには、それがなぜだかわからなかった。それに、婚約式のときにも、あたしちっとも気がつかなかった。そして、あとでははあと思ったときには、なにを言おうにも手おくれだった」彼女は、またひと息入れた。「そして、ふたりが結婚して三週間め、あたしイルシュからの電報でパランツァに呼ばれた。あの人が、ふたりといっしょに行ってたこと、あたしちっとも知らなかった。だが、あの人の行ってることがわかったとき、あたしすぐにかぎつけちゃった！　もっとも、べつに秘密なんていうんじゃないの。クララの首のまわりには、ちゃんと血斑《けっぱん》があったんですもの。クララは絞め殺されたにちがいないのよ」

「誰にさ？」

「兄さんに。自分のご主人によ。兄さんは、その晩ひとりで湖水をぶらついて来るからと言って舟を借りたの。イルシュは、したいようにさせておいた。そうさせといたほうがよかったからなの。たしかに考えがあってのことなの。イルシュには、兄さんが自殺しようとしていることがわかっていた。そして、クララもそれに気がついてたの。というのは、クララは、イルシュの見張りの目をかすめて、出かけようとしていた舟に飛びのったりしたんですもの。なにしろ、だんだんあとになって、そうしたことがわかってきたの。というのは、イルシュは……」

女は、ぶるっとからだをふるわせた。「とても底のわからない人」彼女ははっきりこう言った。

女がふたたび黙ったので、アントワーヌのほうからたずねかけた。

「だってまた、どうして自殺なんかする気に？」

「兄さんは、いつも口ぐせのようにそう言ってたわ。子供のときからのくせなのよ。だからあたし、何も兄さんには言えなかった。そして、黙って結婚させてやったってわけなの。ああ！」と、女は、とても悲しそうなちょうしで言った。「あたし、あとになって、ずいぶんそのことで心を責めた！もしもあのとき、あたしが言ってやりさえしたら……」そして、さもアントワーヌが、自分を良心のまえから弁護してくれられるとでもいったように、彼をみつめてこう言った。「あたし、ふたりの秘密をつかんでいた。だからといって、それをすぐ兄さんに言うべきだったかしら、どう？　兄さんは、幾度も、もしクララをお嫁にもらえなかったら、自殺するって言ってたの！　もしもあたし、偶然見つけたそのことを兄さんの耳に入れたとしたら、兄さんは自殺したにちがいないと思うわ……どう、そう思わない？」

アントワーヌには、なんと答えていいかわからなかった。彼は、女の言葉をくり返した。

「偶然って？」

「そうなのよ、まったく偶然のことだったの。ある朝、あたしボワへ行こうと思って、クララとイルシュを誘いに行ったの。あたし、どんどんクララの部屋へあがって行った。ところが、部屋のそばまで来ると、なんだかドタンバタンという音が聞こえる。あたし、駆けだして行った……ドアは、半分あきかけになっていた。クララは、ブラウスも着ず、両腕もむき出し。そして乗馬服のスカートを、もぞもぞさせていた。そして、あたし、ドアをあけたとき、クララが、椅子の上においてあったむちを取って——ぴしり！　イルシュの顔を強くはたいたところを見たの！」

「おやじの顔をか？」

「そうなのよ！　あたし、あとになって、たびたびあのときのことを思いだした！」女は、いかにも小気味よいといったようにさけんだ。「あたし、たびたび、あのときのイルシュの顔を思いだしたの！　青白かったそのときの顔を！　そして、だんだん黒ずんでいったむちのあと！　あの人、人をなぐることが好きだった。しかも、ずいぶんひどくなぐりもした！　ところが、おお、その自分がむちでひっぱたかれているんじゃなくって！」

「だって……いったいどうして？」

「じつはあたしにも、その朝どんなことが起こったのか、はっきりしたことがわからなかった……クララはたぶん、いいなずけになってからは、からだをゆるさなかったにちがいないのよ。あたしすぐにそう考えたの。あたし、それまでにも、びっくりしたいろいろなことを思いだしてみた。そして、ふっと思いあたったの……なにからなにまでわかったの……ところでイルシュは、いばりかえって、あたしには声もかけずに出て行った。さもあたしの、ぜったい口外しないことを信じきってでもいるかのように。それはたしかにあたっていたわ。あたし、クララに、根ほり葉ほりきいてみた。そして、クララは、すっかり打ちあけて話してくれた。でも、クララはあたしに誓ったわ——そしてそれ、たしかに本心からにちがいないのよ——二度とあんなことはしないって。結婚する気になったというのも、じつはすべてからのがれたかったためなんだって。なにからのがれるというのかしら？　イルシュからか、それとも……自分自身の情欲からか？　あたしそのとき、それを考えてみるべきだったの。あの人のことを話すクララの口ぶりからでも、そのままおさまりっこないってことがわからなければならなかったはずなの！」彼女はちょっと言葉を切った。そして、沈んだ声でふたたびつづけた。「女が、あれほど憎々しそうに男のことを口にだすのは、それは、自分のからだに男を宿しつづけていることの証拠よ！」

女は、一瞬、顔を伏せ、ゆかを見すえたまま考えこんでいた。やがて、女は言葉をつづけた。

「あたし、そのあとで、ちゃんと証拠をつかんだの。というのは、おりもあろうに新婚旅行のさいちゅう、クララのほうから……わかる？　クララのほうからイルシュをイタリアへ呼んだのよ。それからのことは、あたしにもはっきりわからない。でも、兄さんはたしかにふたりを見つけたんだと思うわ。でなければ、なんで身投げなんかするもんですか……でも、どうしてもわからないのは、クララという人の気持ち。なんで亭主のあとを追って舟に乗りこんだりしたのかしら？　亭主の自殺をやめさせようとでも思ってかしら？　それとも、いっしょに死のうとでも思ってかしら？　どっちも考えられることだわね……ねえ、真夜中、湖水のまんなかの舟の上で、ふたり顔つきあわせて何を話していたというのかしら？　あたし幾度も、そのときのようすを考えてみた。クララは、すてばちになって、何から何まで打ちあけでもしたのかしら？　クララだったらしかねないことだし……兄さんはクララも死に、自分も死んだら、すべて決済できると思って、それでクララを、なきものにしようとしたのかしら？……なにしろあくる日、ふたりが乗って行ったからっぽの舟が見つかったの。そして幾日かすると、ふたりの死骸がおなじところでみつかったの……でも、あたし、なにより変に思うのは、ふたりが舟で出て行ったその晩、まだ捜索ははじまらないうち、郵便局がしまるまえに、イルシュがあたしに、こいと電報を打ってよこしたっていうことなの！」彼女は、しばらく夢でもみているようだったが、さらに言葉をつづけて、「あなたもあのころ、きっと新聞で読んだはずよ。そして、そのまま読みすててしまったまでよ。イタリアの警察も、いろいろ手をつくして調べてくれた。フランス側も、いっしょになって調べてくれた。パリでは、兄さんのところやあたしのところへ、家宅捜索がやってきた。でもなにひとつ、なぞをとく鍵は見つからなかった……あたしのほうが、ずっとたくさん知っているのよ！」

「ところでイルシュ先生、一度も嫌疑をかけられなかった？」

女は、元気に、さっと身を起こした。

「一度も」と、女ははっきり言いきった。「たった一度も、嫌疑なんかかけられなかった！」

彼女の声、彼女がアントワーヌに浴びせた一瞥には、なにかしらいどみかかるようなものがあった。だが、彼は、それに気をとめなかった。というのは、これまでにもたびたび、自分の過去の話をするときの彼女は、まるで、はじめて会った晩、あれほど自分を圧倒した男を驚かしてやることに何か喜びでも感じるといったように、ちょっと突っかかるような口調をしめすのを例としたから。

「イルシュは、一度も嫌疑をかけられなかった」女は、言葉のちょうしを変えながら、嘲笑するようにくり返した。「でもあの人、その年だけは、用心して、パリへ帰ろうとしなかった！」「では、きみはたしかに、彼女が、あの男の娘が、新婚旅行のさいちゅうに……」「これでおしまい」彼女は、ふたりのあいだにイルシュの話が出るたびに見せるあのはげしい情熱で、彼のほうへ飛びかかって来ながらさけんだ。そして彼女は、高びしゃなキスで彼の口をふさいでしまった。「ああ、あなたはまったく特別なかただわ！」こうつぶやきながら、からだをまるめ、しっかり彼に身をよせた。「あなたはいいかた。あなたは物のわかったかた。あなたはまっすぐなかた。ああ、あたし、どんなにあなたが好きだろう！」そして、いまの話が頭にこびりついて離れぬままに、アントワーヌが、さらになにかたずねようとするのを見ると、彼女はさらにくり返してこう言った。「もうおしまい！　これでおしまい！　あたし、くたびれちまうんですもの。あたし、なにからなにまで忘れたい――できるだけ長く忘れていたい――しっかりだいてよ。かわいがってよ……ゆすってよ、しっかりゆすって。そして、あたしに忘れさせて……」

彼は、女をしっかりだきしめた。と、たちまち、無意識の底に、まるでひとつの新しい本能とでもいったように、なにかしら思いきったことをやってみたい気持ちが起こった。こうしたきちょうめんな生活からぬけ出し、新規まき直しの生活をはじめ、さまざまな危険をおかし、自由な、無目的な行為のため、いままで謹直な目的のためだけにつかって得々としていたこの力を使ってみたい、といったような気持ち！

「どうだ、ふたりで出かけてみようじゃないか！　ねえ。ふたりいっしょに、生活のまき直しをやってみるんだ、遠いとおいところへ行って……きみには、ぼくにどれくらいの力があるのかわかっていない！」

「あなたに？」と、女は笑いながら言った。

彼女は唇を差し出した。興奮からさめた彼は、さもいまのはじょうだんだと思わせるように微笑してみせた。

「あたし、なんてあなたが好きなんだろう！」女は、間近から、じっと彼を見つめて言った。そこに苦悩の色のあったことが、あとになって思いだされた。

アントワーヌは、ルアンの町を知っていた。彼の父かたの家族は、ノルマンディーの産だった。いまでもチボー氏は、ルアンの町に、かなり身近な何人かの親類を持っていた。それにアントワーヌは、いまから八年まえ、その町で兵役についていたのだった。

ラシェルは、夕食まえ、早くも彼にひっぱられて、橋の向こうがわ、兵士たちがうようよしている町はずれのほうへ出かけて行き、長いながい兵営の壁にそって歩かせられた。

「休養室だ！」と、彼はうれしそうに、あかあかと灯火のついている建物を指しながら言った。「二番めの窓、ね？　あれが医務室だ。あそこで、なにもせず、本さえ読むことができず、二、三の番兵や、《おみやげ》をもらってきた色男相手に、なんという毎日毎日をすごしたことだろう！」彼はそこに、なんら恨みがましいようすも見せずに笑っていた。そして、「ねえ？　それにくらべて、きょうのこのぼくのなんという幸福さ！」と、言葉をむすんだ。

女は、なんとも答えずに、彼の先に立って歩いていた。彼には、いまにも泣きだしそうな女の顔が見えなかった。

一軒の晩画館の前に『未知のアフリカ』のポスターが出ていた。アントワーヌは、それをラシェルに知らせてやった。女は首を振ると、彼をホテルのほうへひっぱって行った。

晩食のあいだ、彼にはどうしても女を笑わせることができなかった。そして彼は、今度の旅行の目的から考え、自分の浮きうきしていることをいささか心にとがめていた。

だが、ふたりが部屋にもどるやいなや、

「あたしのこと、おこっちゃいやよ」

「なんでさ？」

「あなたの散歩をだいなしにして」

彼は、とんでもない、と言ってやろうとした。すると、女はふたたび彼をだきしめ、ひとり言のようにくり返した。

「ああ、あたし、あなたが好き！」

その翌日早く、ふたりはコードベックに着いた。

暑さはずっときびしくなっていた。川は、とてもひろびろと、きらきら光る靄の中を流れていた。

アントワーヌは、小さなホテルまで荷物をひきずって行った。そのホテルで、馬車を仕立ててもらえるのだった。ふたりのたのんでおいた馬車は、時間よりもずっと早く、ふたりが昼食をとっていた窓の前についていた。ラシェルは、手早くデザートを切りあげた。女は自分で、荷物をすっかり幌の中に入れたあとで、御者に向かって、道順を細かに説明した。そして快活に、やおら古馬車の上にとびあがった。

今度の旅の中での一番つらい時刻が近づくにつれ、女には、興奮が立ちもどってきているようだった。道をつづけて行きながら、女はすっかり浮かれていた。のぼり坂、くだり坂、路傍に立ったキリストの像、村の広場、女はすべてをおぼえていた。彼女はすべてに驚いていた。まるで、パリの郊外を一度も離れたことがないとでもいったように。

「まあ、あれを見てよ！　あのにわとり！　それに、あそこでひなたぼっこしている中風のおばあさん！　それに、あの柵には、おもりに石がぶらさげてあるわ！　この辺、なんて古風なんでしょう！　ね、あたしが言ってたとおりでしょう、これがほんとうの田舎なの！」

谷の中、ゲ・ラ・ロジエールの小さな会堂のまわりに散在する村の屋根が見え出したとき、女は、馬車の中にすっくと立ちあがった。そして、その顔を、まるで故郷を見つけた人のそれとでもいったように輝かした。

「墓地は左のほう、村からずっと離れたところにあるのよ。あのポプラの茂みのうしろのほう。もう少しすると見えてくるわ……村は速足で突っきってね」ゲ・ラ・ロジエールの村のとっつきの家にさしかかったとき、女は御者にそう言った。

草深い庭の奥にかくれながら、横に黒の線がはいり、上にわら屋根をいただいている白い建物の正面が、りんご園をすけて輝いていた。よろい戸はすっかりしめられていた。馬車は、糸杉二本のあいだにはさまれている、スレート葺《ぶ》きの家の前を通った。

「これが役場」と、ラシェルは、有頂天になって言った。「ちっとも変わってないわ！　あそこでいろいろ書類をこしらえてもらったの……あそこ、あのうしろのところね？　あそこに乳母さんが住んでいた。みんないい人たち。いまではもうこの土地にいなくなったの。でなかったら、あたし、あのおばあさんをたずねてキスしてやるのに……あたし、いっぺんだけここで暮らしたことがあるわ。ここへ来るとき、あたしどこかベッドを貸してくれる家に泊まった。そして、家の人たちと食事をしながら、みんなのお国なまりをおもしろがったりしたものなの。みんなはあたしを、まるで動物園の動物みたいに思っていたっけ。あたしがパジャマをきて寝るからって、女の人たち、寝ているあたしを見に来たものよ。ここらの人たち、それはそれはおくれている、まるで想像もできないくらい！　でも、とてもいい人たち。子供が死んだとき、みんなとても親切にしてくれた！　あたし、あとから、何から何まであの人たちにやっちゃったわ。砂糖づけのくだものとか、帽子につけるリボンとか、それに司祭さんのためにはリキュール酒とか」女はふたたびたちあがった。「墓地はあそこ、あの丘の向こうのところ。しっかり見ていて。もうじき、くぼ地のところにお墓が見えてくるはずだから。ほら、手を当ててみて。こうして動悸の打っているのが、あなたにわかる？　あたし、坊やが見つからなくなりはしまいか、それがいつでも心配なの。なぜって、永代墓地を買っておかなかったから。でも、ここではみんな、そんな習慣はないって言うの。でもねえ、やって来るたび、あたし思わずこう思うのよ。《あの人たち、あの子をほっぽり出したりはしないだろうか？》って。だって、しようと思えば、そうされたってなんの文句もないんですもの……あ、そこの小道のところでとめて、門のところまで歩いて行くわ……さ、こっち、早く！」

女は馬車から飛びおりていた。そして、鉄門のほうへ急いでいた。それから、門をあけ、土べいのうしろにかくれたかと思うと、ほとんどすぐに姿をあらわし、アントワーヌのほうへ向かってこうさけんだ。

「ちゃんとしていたわ！」

女の顔には、さっと日があたって、そこには、喜びだけが輝いていた。女はふたたび姿を消した。アントワーヌは、女のあとに追いついた。女は両手を腰にあてがい、ぐっとからだをそらしながら、ふたつのへいの出会っているあたり、雑草がわがもの顔に茂っている一郭を前にして突っ立っていた。垣根の残骸らしいものが、いらくさの茂みの中に浮かんでいた。

「ちゃんとあったわ。でも、とてもひどくなっちゃってる！　かわいそうに、おまえのお墓、ほんとに手入れができてることとね！　年に二十フラン、ちゃんと手入れ料が払ってあるのに！」

それからアントワーヌのほうをふり向くと、さも、それを思いついたことの言いわけとでもいったように、声はいささかためらっていた。

「ね、あなた、帽子をぬいでくださらない？」

アントワーヌは赤面した。そして帽子をぬいだ。

「かわいそうに」と、とつぜん女が言った。女は、手をアントワーヌの肩にかけ、目には涙をたたえていた。「あたし、死に目にさえも会えなかったの」と、つぶやくように女が言った。「やって来かたがおそかったの。かわいい子だった。ほんとにかわいい子、青白い顔をして……」女は急に目をぬぐった。そして、微笑を浮かべながら、

「みんな昔ばなし。でも、やっぱり悲しくなってくるわね。でも、いいあんばいに仕事があるわ。それで気持ちをまぎらしてもらえるわ。さ、来てちょうだい」

仕事というのは、馬車のところまでもどって行き、ラシェルの包みを墓地まで運んで来ることだった。ラシェルは、草の中にひざまずいて、自分でほどくと言いはった。女は、すぐそばにあった敷石の上に、シャベル、鉈《なた》、槌、それに大きなボール箱をきちょうめんに並べた。ボール箱には、白や青のガラス玉の冠がはいっていた。

「道理で重いと思っていた」アントワーヌは、微笑しながらそう言った。

女は、楽しそうに身を起こした。

「文句を言わずに手を貸してよ。上着をぬいで……さ、鉈を持って。何から何まで食い荒らす、こうしたきたない木や草を、切ったりひっこぬいたりしてやるの。その下に、埋めたしるしのれんががちゃんといけてあるのよ。たいした大きなお棺じゃなかった。それに重くもなかったし！……あ、それちょうだい！　冠のかけら。古いやつだわ。《愛児にささぐ》ズュッコが持って来てくれたやつ。

一年まえから別れていたけど、やっぱり知らせてやったのよ。わかる？　とても折りめ正しい男。来てくれたのよ、喪服を着て。あたしほんとにうれしかった。お葬式にも、なんだか心じょうぶな気持ちがして……あたし、ほんとにばかなんだわ……！　あ、待って。それ十字架よ。ちゃんと起こして。あとからしっかり立てるから」

草をわけながら、アントワーヌはとつぜんハッとした。彼の目には、最初、ロクサーヌ・ラシェル・ゲプフェルとある、その墓碑銘の全部がはいらなかった。第一の洗礼名を見ずに、ただラシェル・ゲプフェルと、彼女の名まえだけを読んだのだった。彼は、しばらく考えこんでいた。

「さ」と、ラシェルが言った。「仕事にかかりましょう！　まずこれからよ」

アントワーヌは、いっしょうけんめい仕事にかかった。彼は、どんなことでも、中途半端にしておけない性質だった。彼は、シャツ一枚になり、鉈《なた》や鋤《すき》を動かしているうち、やがて、土方のように汗をかいてしまった。

「冠は」と、女が言った。「あたしに渡して。ひとつひとつきれいにふくから……あら、ひとつ足りない！　よく見てちょうだい？　イルシュからのぶんよ。一番きれいなの！　花は陶器でできてるの！　まあ、なんてひどいことをしたのかしら！」

アントワーヌの目は、女のすることをおもしろそうに追っていた。帽子もかぶらず、乱れた髪を日に輝かせ、人を小ばかにしたように口をとがらせ、スカートもはしょり、そでもひじまでたくしあげ、かこいのうちを駆けまわって、ひとつひとつ墓をしらべ、憤慨しながら何やら文句を言っていた。

「きっと失礼しちゃったんだわ。ほんとに強欲な人たちばかり！」

女は、がっかりしながらひき返して来た。

「あたし、あれがとても好きだったの！　あの人たち、何かの飾りにでもしたらしい。ここはなにしろ、とてもひらけていないんだから！……でも」と、彼女は、魔法にかけられでもしたように、急にけろりとしてこう言った。「あたし、あそこに、黄色い砂を見つけてきたの。あれ、ちょっとお墓の化粧の役に立つわね」

小さな墓は、だんだん見ちがえるように変わっていった。十字架は、もとどおりに起こしてもらい、槌でしっかり打ち込まれて、草をきれいにむしられた長方形の地面の上に姿を見せていた。そして、まわりには、砂をまいた小道が、いかにも手入れのいきとどいた墓とでもいった感じをあたえていた。

ふたりは、地平のほうに、雲の厚くなってきているのに気がつかなかった。そして、ぽつぽつやって来たのを見て、はじめてそれとびっくりした。谷の上の空に、まさに夕立がせまっていた。すずを流したような空の下、石はますます白く、草はますます青く見えた。

「大急ぎ！」と、ラシェルがさけんだ。女は、墓のほうへ、母親らしい微笑を投げた。そして「よく働いたわね」と、つぶやいた。「まるで別荘の小さなお庭といったみたい！」

アントワーヌは、土べいのつくるかどのあたりに、一本のばらのしだれた枝のあるのを見つけた。それは風の中で、サフラン色のしんを持った二輪のばらの花をゆすっていた。彼は、お別れのしるしに、それをかわいらしいロクサーヌにささげてやりたいと思った。だが、それはラシェルの思惑を考えて思いとまった。つまり、そうしたロマンチックなしぐさこそは、むしろ母親にたいしてなさるべきだと考えたからだった。そして、ばらを摘み取った彼は、それをラシェルに差しだした。

ラシェルは、花を手にとった。そして、急いでブラウスの胸にさした。

「うれしいわ」と、彼女は言った。「でも、急ぎましょうよ。帽子がだいなしになっちまうから」こう言って、うしろをも見ずに、おりから雨のたたきはじめていたスカートを両手にかかげて、馬車のほうへ駆けつけた。

御者は、すでに馬車から馬をはずし、馬といっしょにいけがきのひっこんだあたりで雨を避けていた。アントワーヌとラシェルは、馬車の奥、幌のかげに雨を避け、ひざの上に、しめった皮のにおいのする重いひざ掛けをひろげていた。彼女は、この思いがけない雨を興がるとともに、しなければならないことをしたことのうれしさで笑っていた。

それはほんの夕立だった。すでに雨足も少なくなり、雲は東をさして急いでいた。やがて、水蒸気に清められた空気の中に、ふたたび目をくらますような夕日の姿があらわれた。御者は馬をつけにかかった。子供たちは、雨にぬれた鵞鳥の列を追いながら、列をなして通って行った。そのうちの、一番小さい、年のころ九つか十と思われるひとりが、馬車の踏段にのぼって背のびをすると、さわやかな声でこうさけんだ。

「ご両人、おたのしみ！」そして、靴を鳴らしながら逃げて行った。

ラシェルは、げらげら笑いだした。

「時勢おくれの人たちだって？」と、アントワーヌが言った。「だが、若い連中にはなかなか見こみがあるぜ！」

やがて、出発の準備がととのった。だが、コードベックで汽車をつかまえるためには、あまりに、時刻がおくれすぎていた。どうしても、このままっすぐに幹線の一番近い駅まで行かなければ。アントワーヌは、月曜の朝の病院のつとめを、人にかわってもらいたくなかった。とすれば、どうしても今夜のうちにパリに帰らなければならなかった。

御者は、晩飯のため、サン・トゥアン・ラ・ヌーで馬車をとめた。はたごの中は、日曜の晩の飲み客でいっぱいだった。あとから行ったふたりは、奥座敷のほうで食事をした。

ふたりは黙って晩飯をたべた。ラシェルは、もはやじょうだんも口にしなかった。女は何か考えこんでいた。彼女は、葬式の日、おなじ時刻、おなじような馬車で──しかもおそらくおなじ馬車であったかもしれない──あのテノール歌いといっしょにここへ来たことを思いだしていた。女は、そのとき、すぐふたりのあいだに爆発したいさかいのこと、ズュッコが自分の上におどりかかってきたこと、そこのパン箱のまえで自分に平手打ちを食わせたこと、その晩、このはたごの一室で、自分がふたたび彼に身をゆるしたこと、そして引きつづく四カ月というもの、自分がふたたび、いかに男の愚かしさと暴虐とを忍ばなければならなかったかといったようなことを思いだしていた……もっとも彼女は、たいして彼をうらんではいなかった。しかも今夜、そのときの平手打ちのことを、むしろ肉感的な思い出をこめて思いだしてさえいたのだった。だが彼女は、まだそのときのことを、アントワーヌの耳に入れていなかった。かつてテノール歌いにぶんなぐられたことも、いままで一度も、それと明らかにはけっして打ちあけていなかった。

やがて、もうひとつ、刺すような鋭い思いがやみの中から浮かびあがった。そして、昔の思い出にこだわっていたというのも、じつはこの執念からのがれたいためだったことがわかって来た。

女は立ちあがった。

「停車場まで歩いて行かないこと？」と、女が言った。「十一時でなければ汽車がないの。荷物は御者に持ってってもらうことにして」

「まっ暗な中、泥んこ道を二里も歩こうっていうのかい？」

「いけない？」

「気ちがいじみてる。じょうだんじゃないぜ！」

「ああ」と、女は、うめくように言った。「あたし、向こうへ着いたら、きっとへとへとだろうと思ったの。そして、気持ちがよくなるだろうと思ったの！」だが女は、それ以上固執しようとしなかった。そして、彼のあとから、馬車のほうへ歩いて行った。

あたりはすっかり暗くなっていた。風も涼しくなっていた。

馬車の上に腰をおろすやいなや、彼女は日がさの先で御者の背をつついた。

「静かにね。あたりまえに歩かせてね。時間はじゅうぶんあるんだから」彼女は、アントワーヌにからだをすりよせた。そしてつぶやくようにこう言った。「なんていい時候。なんていい気持ち……」

しばらくしてのち、彼は、自分にもたせかけている女の頬をなでてやろうとした。そして、それがじっとり涙にぬれていることに気がついた。

「神経がたってるのよ」と、女は顔を振りほどきながら説明した。そして、まえよりしっかり彼の腕の中に身をちぢめて、「ああ、しっかりつかまえてて！　しっかりそばにつかまえてて！」

ふたりは黙って、たがいにしっかりだき合っていた。角灯の火に照らし出されて、木々や家々は、一瞬幽霊のように立ちはだかったと思うと、ふたたびやみの中に姿を消した。ふたりの頭上には、空が輝いていた。馬車の動揺は、アントワーヌの肩の上に打ちまかせているラシェルの頭をゆすっていた。そして、ときおり、女は、上体をゆすり上げて、愛人をだきしめながら、ためいきをつくようにこう言った。

「あたし、なんてあなたが好きなんだろう！」

分岐駅のプラットフォームの上で、パリ行きの列車を待っているものは、ふたりのほかにいなかった。ふたりは、そこのひさしの下に身をよせた。ラシェルは、ずっと黙りこんだまま、アントワーヌの腕をつかんでいた。

駅員が何人か、角灯を振りながら影の中を走りまわっていた。その灯《ひ》の影が、ぬれた歩道の上にうつっていた。

「特急でございます！　おあとへ願います！」

まっ黒な、そして点々と灯《ひ》をともした特急が、吹っ飛ばせるだけのものをすべて吹き上げ、呼吸できるかぎりの空気までも自分といっしょにひっさらって、まるで天変地異とでもいったようにおどりながら通り過ぎた。あとには、すぐに沈黙が立ちもどった。と、とつぜん、ふたりの頭の上に、弱々しい、いらだたせるような、鼻にかかったベルの音が、急行の到着を知らせだした。

列車は三十秒の停車だった。ふたりは、車を選ぶひまもなく、自分たちの車室に乗るのがやっとだった。そこには、すでに、三人の人が眠っていた。ランプには、青い布が掛かっていた。ラシェルは、帽子をぬぎ、あいていたただひとつの片すみに倒れるように腰をおろした。アントワーヌも、彼女のそばに腰をおろした。だがラシェルは、彼にからだをもたせてこないで、暗いガラス戸にひたいをあてた。

薄暗い車室の中では、あのオレンジ色をした、そして日の光をうけるとほとんどばら色にさえ見える女の髪が、それとはっきりした色合いを見せなくなっていた。それは、なにかしら流動不燃体の物質、金属性の絹とか、糸ガラスとかいったもののように思われた。そして燐光を発するかと思われる頬の白さは、女の皮膚を、なにかしら現実のものでないかのような感じにさせていた。女は、手を腰掛けの上に投げ出していた。アントワーヌは、その手を取った。ラシェルは、ちょっとからだをふるわせたらしかった。彼は、低い声でたずねてみた。女は、答えるかわりに、その手を熱病的に握り返した。そして、いままでよりもさらに向こうをむいてしまった。彼には、いったい女がどうしたのかわからなかった。彼は、きょうの午後、墓地にいたときの女の態度のことを思い浮かべた。夜になってからの興奮は、あの墓まいりの結果とでもいうのだろうか？　でも、彼女は、ほとんど楽しそうにやってのけてはいなかったろうか？　彼はあれやこれやと推測しながら、まったく五里霧中といった感じだった。

汽車が着き、同室の人たちが立ち騒ぎ、ランプのおおいを取り去ったとき、彼はラシェルが、執拗に頭を伏せているのを発見した。

彼は、何もきかずに、人ごみの中を、女のあとからついて行った。

だが、いざタクシーに乗ってしまうと、彼は女の手首をつかんだ。

「どうしたの？」

「なんでもないの」

「どうしたのさ、ラシェル？」

「ほっといて……ほら、もうすんじゃったの」

「だめだ、ほっといてなんかおけるものか。ぼくには権利がある……どうしたのさ？」

女は、涙ですっかり面《おも》がわりのしている顔を上げた。そして、絶望的な目つきで、じっと男をみつめながら、切り口上でこう言った。

「あたし、言えない」だが、女には、最後まで自分をおさえきるだけの力がなかった。そして、彼のほうへ身を投げかけると、「ああ、あたしとてもできない、とても、とても！」

ときを移さず、彼には、自分の幸福もいよいよ終わりだ、ラシェルは自分と別れようとしている、そして、万事休すだ、といったことがうけ取られた。彼には、それが、女からの説明を待たず、それはなぜかとわかるより先に、それを苦しんだりするより先に、さもずっとまえからそうなる運命だったとでもいったように、はっきりわかってしまったのだ。

ふたりは、アルジェ町の階段をあがり、ひとことも言葉をかわすことなく、ラシェルの部屋へはいって行った。

彼女は、ちょっとのあいだ、そのばら色の部屋の中に、彼をひとりだけにしておいた。彼は、ぼんやりつっ立ったまま、寝室の奥のベッドや化粧台、いまは彼のものであるこの部屋の中をながめていた。彼女はもどって来た。もう外套もぬいでいた。彼は、女が部屋にはいって来て、ドアをしめ、その金色のまつげのかげにひとみをかくし、なぞのような口をきりりとしめて歩みよって来るのを見た。彼は、すっかり力を失ってしまった。そして、ひと足女のほうへ歩みよると、どもりながらこう言った。

「ね、じょうだんだろう?……別れようなんていうんじゃないだろう?」

このとき、女は腰をおろした。そして、力のない、とぎれがちな声で、どうか心配しないように、自分は長い旅に出なければならない、ベルギー領コンゴに商用の旅をしなければならないのだ、と言った。つづいて、女は説明をはじめた。彼女の父の遺産、彼女にとっての全財産は、イルシュの手で、あるオイル工場に投資されていた。その工場は、きょうまでのところ、きわめて順調にいっていて、かなりな収入をもたらしていた。ところが、つい先ごろ、ふたりの取締役のうちのひとりが死んでしまった。そして、最近知ったところによれば、現在事業をもっぱら切りまわしているほかのひとりの取締役が、キンシャサに——すなわち彼女の工場のあるのとおなじところに競争相手のオイル工場を設立し、あらゆる方策をろうして彼女の工場を倒壊させようとしているブリュッセルの巨商連と気脈を通じているということだった。(彼女は、話すにつれて、いくらか落ち着いてきたようだった。)しかも問題は、政治的な関係から、さらに複雑になりつつあった。というのは、そのミュラー一族には、ベルギー政府がしり押しをしていた。離れていることだし、誰を信用しようもない。しかも問題は、彼女の唯一の資産、彼女の物質上の安危、彼女の将来全部にかかっている。女は、いろいろ考えてみた。なんとかうまく処理する方法もがなとも思ってもみた。だが、イルシュは、いまエジプトにいて、コンゴとはなんの交渉も持っていない。とすれば、ただひとつの解決法は、彼女自身出かけて行き、あるいはオイル工場の立て直しをするなり、あるいはそれを適当な価格でミュラー一族に買い取ってもらうよりほかになかった。

アントワーヌは、女の冷静な態度につり込まれ、顔色を変え、まゆげをよせたまま、なんの言葉もはさまずに女をながめていた。

「だが」と、彼は、思いつくままを口にだした。「早くかたづくかしら……?」

「かたづきそうでもあれば、そうでないようにも思われるの」

「どう? ひと月くらい?……もっと? 二月くらい?」彼の声はふるえていた。「それとも三月？」

「そうね」

「もっと早いかもしれない？」

「ううん！　行くだけだってひと月かかるわ！」

「代わりに行ってもらう人はないかしら？　誰かたしかな人？」

女は肩をすくめて見せた。

「たしかな人？　行くのにひと月もかかるというのに、どうして監督できると思って？　しかも相手は、誰であろうと買収しようと待ちかまえてるのよ」

いかにももっともな話だったので、彼はそれ以上なにも言わなかった。事実、彼の唇には最初から《いつ？》という言葉しかなかったのだ。ほかのすべての質問は、すべてそのあとまわしというわけだった。彼は女のほうへ、なんともはっきりしない身ぶりをした。そして、実行家らしいいら立っている顔とは正反対の、いかにもなさけなさそうな声でつぶやいた。

「だって……まさかこうしてすぐ行っちまうんじゃないだろう？……え？」

「すぐじゃないの……でも、もうじき」と、女は本音をはいた。

彼は、からだをこわばらせた。

「いつ？」

「したくがすっかりできたら。いつとははっきりは言えないけれど」

沈黙がつづいた。そして、そのあいだ、ふたりの意思はぐらついていた。アントワーヌは、ラシェルの興奮した顔の上に、女としてこれが精いっぱいといった気持ちを読みとった。そして、彼自身もいまはあらゆる張りを失いかけていた。彼は、ラシェルに近づくと、もう一度たのんでみた。

「じょうだんだろう、え？……行っちまうんじゃないだろう？」

女は、彼を胸で受けとめ、そのましっかりだきしめると、よろめきながらベッドのほうへつれて行った。そしてふたりは、そこにがっくり倒れてしまった。

「なんにも言わないで」と、女はささやいた。「なんにも要求しないで。なにひとこと、あのことについてなにひとこと言ったりしないで。それでなければ、あたし、だまって行っちゃうから！」

彼は、あきらめ、打ち負かされて、口をつぐんだ。そして、乱れた女の髪に顔をうずめ、今度は彼が泣きだしていた。

十四

ラシェルはしっかりこらえてのけた。それからのひと月というもの、女はすべて新しい質問を避けていた。アントワーヌの目の中に何か心配そうな眼差しが見えると、女はくるりと顔をそむけた。なんともつらいひと月だった。ふたりは、生活だけはつづけていた。だが、ちょっとした一挙一動、ありとあらゆる考えが、すべて苦しみをまさせる結果になっていた。

女から話を聞かされた翌日、アントワーヌは、自分の精神力に呼びかけた。だが、それもなんにもならなかった。彼は、自分がこうも苦しんでいることに驚き、また自分自身、わが身の苦しみにたいしてこうも無力であることを恥ずかしく思った。刺すような疑いが、頭をかすめた。《おれはほんとに？》そしてすぐに《誰も知らずにいてくれるといいが！》さいわい、活動的な生活から抜けきれずにいた彼は、毎朝病院の中庭を横切るたびに、まるで魔法とでもいったように、みごとに医者としての一日をやってのけるだけの力を回復することができていた。患者たちの前に出ると、彼はもう、その人たちのことしか考えなかった。だが、ふとわれにかえったとき——たとえば回診と回診とのあいだ、あるいは食卓についているとき（チボー氏は、パリにもどって来ていて、十月以来、ふたたび家庭生活がはじまっていた）——彼の上に絶えず揺曳《ようえい》している抜くべからざる絶望感は、たちまち彼に襲いかかり、彼をして、とかく短気になりやすい、放心したような人間に変えてしまった。そして、かつてあれほど得意にしていた力のすべてが、いまや焦燥以外の表現を忘れてしまいでもしたようだった。

彼は、ラシェルのそばで、なんの喜びをも感じることなく、午後の幾時間、夜の幾時間かを過ごしていた。ふたりの会話、ふたりの沈黙、それらはともに、さまざまな秘密によって毒をさされていたのだった。そしてふたりの抱擁にしたところで、それはたちまちふたりをつかれさせ、ふたりが感じあっていた、ほとんど敵意をもったともいえるような渇望を満足させるところまではいかなかった。

十一月はじめのある夕方、アルジェ町にやって来たアントワーヌは、住まいのドアがあけ放されているのを見た。そして、たちまち、壁の装飾も取り去られ、ゆかの敷物もはがれてしまっている玄関が目にはいった……彼は、住まいの中へとび込んでいった。家具が取り去られ、響きやすくなっているほうぼうの部屋、そして、あのばら色の部屋、そこのアルコーヴ（ベッドの据えてある凹所）にしてさえも、いまはただがらんとしたくぼみというにすぎなかった……

台所に、人の動いている音が聞こえた。彼は、目を血走らせて駆けつけた。家番の女が、ひざをつきながら、ぼろの山をひっかきまわしているのだった。アントワーヌは、彼女の手から、自分あての手紙をひったくった。すでに最初の一行から、はげしく心臓がうっていた。よかった、まだパリにいた彼女は、近所のホテルで待っているということだった。そして、翌日の晩の汽車でル・アーヴルに行くことになっていた。彼は、すぐさま、病院を休み、ラシェルを船まで見送って行くための嘘を組み立てた。

その翌日、彼は、一日じゅう、あれやこれやとくふうしたが、いずれもうまくいかなかった。そして、ようやく晩の六時になって、見とおしができ、代わりのものもだいじょうぶとなって、出かけることができたのだった。

彼は、駅で女と落ち合った。わるい顔色をして、すっかりふけてしまった彼女は、彼のまだ知らなかったタイユールを身につけ、新しいトランクの山をチッキ預けにしていたところだった。

翌朝ル・アーヴルのホテルで、気のいら立ちを静めようと熱い風呂を浴びていたとき、彼ははじめてひとつのことに気がついた。それは、電光の一閃《いっせん》とでもいったように彼を撃った。すなわち、ラシェルの荷物の上、そのどれの上にも、すべてR・H（ラシェル・イルシュRachel Hirschの頭文字）という頭文字が記されていた。

彼は風呂を飛びだした。そして、部屋のドアをサッとあけた。

「きみは……きみは、イルシュに会いに行くんだな！」

あっけにとられたことには、ラシェルは、やさしい微笑で彼を迎えた。

「そうなのよ」と、女はつぶやくように言った。いかにも低い声。それはまるで、いぶきとよりしか受けとれなかった。だが彼は、女が、自白のしるしにまぶたを伏せ、二度ばかり頭をさげるのを見てとった。

彼は、そこにあった椅子に腰をおろした。しばらくの時がたっていった。唇には、なんのとがめの言葉も浮かばなかった。そして、いま彼の打ちたおされていたもの、それは悲しさでもなければ嫉妬心でもなく、自分自身の力だったといった気持ち、けっきょくふたりが無責任だったといった気持ち、それにまた人生の持つ重さそのものにほかならなかった。

彼は、からだをふるわせながら、自分が裸で、まだぬれたままだったのに気がついた。

「かぜをひくわよ」と、女が言った。ふたりはまだ、たがいに言うべき言葉が見つからずにいた。

アントワーヌは、無我無中でからだをふいた。そして着物を着だした。女は、彼が飛びこんで来たときのままの姿で、ラジエーターによりかかり、指のあいだにつめブラシを持って立っていた。ふたりは、苦しんでいたのだった。だが、何よりもまずふたりはたがいに、ほとんどおなじ程度に、なにかしらホッとしたような気持ちを感じていた。この一カ月、アントワーヌは、自分には何もわかっていないのだといった気持ちを、なんべん感じさせられたことだったか！　少なくも、いまや現実は、その全き姿をしめしてくれたというわけだった。ラシェルのほうでも、たえず嘘をつくといった複雑な気持ちからのがれることができ、心のうちにしっかりと見識の立ち直ってくれたのが感じられ、なにかしら明るくなった気持ちがしていた。

やがて彼女は沈黙を破った。

「あたし、嘘をついていていけなかったかもしれない」女は、相手をたまらなく好きだといったような顔つきで言った。そこには、なんら悔恨のまじっていない、同情の色が読みとられた。「人間は、嫉妬について、いつもじつにばかばかしい、じつにでたらめな、できあいの考えを持ってるのよ……なにしろあたしは、あなたのため、あなたに苦しい思いをさせたくないと思って嘘をついていたわけだったの。そして、あたし自身、とてもふしあわせな女になってしまっていた。でもいま、あなたにすっかりわかってもらえて出発できてうれしいのよ」

彼はなんとも答えなかった。だが、着物を着かけたのを中途でよして、ふたたびそこに腰をおろした。

「そうなのよ」と、女は言葉をつづけた。「イルシュがこいと言ってるの。それで、あたし出かけるの」

女はまたも口をつぐんだ。それから、彼が何も言おうとしないのを見ると、いままで長いことおさえにおさえていた気持ちのわくままに言葉をつづけた。

「あなたほんとによいかたね。あなた何も言わないでくだすってうれしいわ。人がなんて言うだろうか、それはすっかりわかってるの。そしてきょうまでまる八週間、あたし、もがきにもがいて来た！　あたしのすることはばかげていてよ。でも、どうしてもそうしないではいられなかったの！……あなたは、あたしがアフリカに誘惑を感じていると思っているのね？　そうなのよね、それもたしかにほんとなの。ある日なんぞ、行きたくって行きたくって、気分が悪くなるほどだった！　でも、それだけだとは言えないわ……では、あたしが欲得ずくだと考える？　それもほんと。あたし、あの人といっしょになるの。そして、あの人はお金持ち、とてもとてもお金持ち。そして、あたしくらいの年のものに、何とかかんとか言ったところで、たしかに結婚は何物かよ。一生日陰者ではたまらないし……でも、それだけだとは言えないの。そうなのよ、あたしほんとに、そうした打算は踏み越えてるの――ユダヤ人の女、半分ユダヤの血のまじった女にやってのけられるかぎりにおいて。その証拠に、あなただってお金持ち。少なくとも、これからお金持ちにおなりになるわ。ところが、よくって？　あたしあなたが、あした結婚してくれると言っても、やっぱりこのままたって行くわ。

　悲しい思いをおさせするわね。でも、しっかりしていて。すっかりお話ししちゃったほうが気持がいいの。そして、あなたのためにも、すっかりわかっていただくほうがいいと思うわ……あたし、あるとき、自殺しようと思ったの。モルヒネでやれば、なんの苦しみ、なんのいざこざなしにぽっくりいけるわ。しかもあたし、それを手に入れてさえいた。ところが、それをきのう、パリを離れるまえに捨てちゃったの。あたし、生きたいの。わかる？　あたしいままでに、ついぞ心から死にたいなんて思ったことがなかった……あたし、あなたにあの人のことを話したとき、あなたは、一度だってやきもちをやいてるようには見えなかった。たしかにそれがほんとうなのよ。やきもちなんかやくことはなかった。むしろ向こうが（わかるわね）あなたにやきもちをやかなければ。あたしあなたが好き。いままでに、こんなに好きな人がなかったというほど好き。そしてあたし、あの人を憎んでいる。あたし、そう言わずにはいられない。あたし、あの人を憎んでいる。あの人は、人間じゃないのよ。あの人は……さ、なんて言ったらいいかしら。あたし、あの人を憎んでいるの。そして、あの人がこわいの。あたし、ずいぶんなぐられた！　そして、これからだってなぐられるわ。ことによったら殺されるかもしれやしない……あの人、とてもやきもちやきなんだから！　一度なんか、象牙海岸で、人夫のひとりにお金をやって、あたしを絞め殺させようとまでしたことがあったの。なぜだかわかる？　あの人のボーイが、ある晩、あたしの部屋に忍んで来たと思ってなのよ。あの人、どんなことでもやってやれないことがないの……やってやれないことのない人」と、彼女は沈んだ声で言った。

「あの人には、とてもはむかえない……そら、このことなんかも、いままでどうしても言えなかった。ほらパランツァで、あの事件があったあと、あの人に呼ばれて行ったときのこと。よくって、事の始まりはあそこだったの！　しかも、あたしには何から何までわかってたのよ。そしてあたし、あの人の前に出ると、こわくてこわくて死にそうだった。あたしには、ある日、あの人がこしらえてくれたせんじ薬をとても飲む気になれなかった。なぜって、あの人、それを持って来ながら、変にニヤニヤしていたから。でも、そんなことなぞなんでもなかった。あたしとうとう……わかる？　ああ、あの人の持ってる、人をひきつける力、とてもあなたにはわからないわ！」

アントワーヌは、またぶるぶるとからだをふるわせた。ラシェルは、彼の肩にペニョワールを投げてやった。そして、落ちついた声で話しつづけた。

「ああ、あの人、あたしをおどしたり、力ずくでひっつかんだりする必要はなかった。ただ待ってさえいればよかった。それを向こうでも知っていたの。自分の力を知ってたわけね。そして、あたしのほうから、あの人のドアをたたきに行った！　そしてあの人、二度めの晩にはじめてあけてくれたのよ……それからというもの、あたし何から何までうっちゃって、あの人といっしょに行くことにした。フランスにも帰らなかった。そして、あの人のあとを、まるで犬のように、影のようについて行った……二年間、ほとんど三年間といっていいほど、何から何までがまんしたわ。疲れたり、あぶないめにあったり、なぐられたり、侮辱されたり、刑務所に入れられたり、何から何まで。そう、刑務所にさえ！　三年間というもの、あたし毎日、あしたの日のことを思って、ゾッとしない日とてはなかった！　ときによると、何週間も外へ出してもらえなかった……サロニカでは、とても大問題を起こしちゃってね。トルコの警察が、全力をあげてあたしたちを追って来たのよ。国境へつくまで、五度も変名しなければならなかった！　それがいつもきまって、不身持ちからの事件なの。ロンドンでは、場末町のひとつで、一家族すっかりを買っちゃった。兵隊相手の淫売婦、その女きょうだいがふたり、弟がひとり……それをあの人、ミクスト・グリルって呼んでたわ……あの日、警官隊が家を取りまき、あたしたちをつかまえちゃった。なんて言ってもだめ。あたしたち、三カ月も未決で暮らした。ところがあの人、とうとう釈放っていうところまでこぎつけた……ああ、ああ、話しだしたら山ほどあるわ！　ずいぶんいろんなめにあった。ずいぶん苦しい思いをしたのよ！……

あなた、思うでしょう？《よめた、それでその男を捨てたんだな》って。あたしのほうから捨てたんじゃない！　あたしいままで、あなたに嘘をついてたの。とても捨てたりできやしない。あの人のほうで、あたしを追いだしちまったのよ！　しかも、あの人、笑ってたわ！　そして、あたしにこう言ったの。《どこへでも出てうせろ。そして、帰れといったら帰ってくるんだ》あたし、あの人の顔につばを吐きかけてやったのよ……だが、ほんとうのことを聞かせてほしい？　あたし、帰って来てから、胸に浮かぶのはあの人のことだけ！　あたし、待ってたの、いやというほど待ってたの。ところがとうとう、あたしにこいと言って来た！……なんであたしが出かけるのか、これですっかりわかったわね？」

女は、立ちあがって、アントワーヌのそばへ来て、ひざまずき、彼のひざにひたいをあてて泣きはじめた。

彼は、嗚咽《おえつ》にゆりあげられている女の首筋をながめていた。ふたりはいっしょに身をふるわせていた。

目をとじたまま、女はつぶやくようにこう言った。

「あたし、なんてあなたが好きなんだろう……」

その日一日、ふたりは暗黙の申し合わせから、なにひとこと口にださなかった。口にだしたところでなんになろう？　昼食のあいだ、ふたりはいやおうなしにさし向かいにならなければならないので、ふたりの眼差しは、おなじ思いに乱れながら、幾たびとなく引きよせ合った。そうしてはまた、きっぱり向こうをむいてしまった。見合ったところでなんになろう？

女には、たいしたものではないにしても、何やかやと買物があった。女は、そうした買物のために多くの時間を費やした。そして、さもそれに興味を持ってでもいるように見せていた。雨を帯びた突風は、沖からの風に運ばれて町じゅうへまで吹きこみ、家並みにそって口笛を吹いていた。アントワーヌは、晩食までの時間を、おとなしく、店から店へと女のあとについて行った。彼女には、船の席を取りに行く必要もなかった。ロマニア号で行くのだから。それはオスタンドからくる半貨物船で、朝の五時ごろル・アーヴルにつき、そこに碇泊しないで、一時間後にふたたび出発することになっていた。イルシュは、カサブランカで待っていた。ベルギー領コンンゴの話など、その何から何までが嘘なのだった。

ふたりは、いつまでも夕食を終わらなかった。いよいよ今宵を最後の、部屋へ帰ってのさし向かいのときがくるのだと思うと、ひとしく気おくれを感じていたのだ。ふたりが飛びこんでいったレストラン――人間や光や物音などでいっぱいのとほうもなく大きなその店、そこはバーとダンスホールと撞球場《どうきゆう》とを兼ねていた。すなわちそこでは、タバコのけむり、球の音、ものういようなワルツの節まわしを耳にしながら、宵の時刻を過ごすことができた。十時ごろになると、さすらいのイタリア人の一団がどやどやはいって来た。十二、三人もいただろうか、赤いブルーズに白ズボンのいでたち、ナポリの漁師のかぶる帽子を頭にのせ、そのふさが、肩の上におどっていた。彼らは、てんでに、ひとつの楽器——ヴァイオリン、ギター、タンバリン、カスタネットを手にして、楽器をひきながら声をかぎりに歌いつづけ、悪鬼のように騒いでいた。ふたりは、感謝の気持ちで彼らをながめていた。いまは苦しむことにも疲れきった自分たちの注意を、せめてしばらくでも、こうした道化者たちのほうへ向けられることがうれしかった。彼らが、祝儀をあつめ、最後の歌をうたい終わったとき、ふたりには自分たちの苦しみが、倍になってかえってでも来たような感じがした。ふたりは、そこで立ち上がった。そして、驟雨《しゅうう》に打たれてふるえながら、ふたたびホテルへもどって行った。

もう真夜中になっていた。ラシェルは、三時に起こしてもらうように頼んだ。

短い一夜、しかもそのあいだ、十一月のあらしは絶えず露台の亜鉛板に雨を吹きつけ、そしてふたりは、言葉もなく、なんの欲情も感じることなく、悲しさにたえないふたりの子供といったように、身をよせ合っていたのだった。

ただ一度、アントワーヌがこうたずねた。

「寒くない？」

女は、からだじゅうでふるえていた。

「いいえ」女は、からだをすりよせて来ながらこう答えた。それはさも、彼にまだ彼女を守ってやるだけの力があり、彼女自身から彼女を救ってやれる力があるとでもいうようだった。「あたし、こわい……」

彼はなんとも答えなかった。彼は、何がなんだかわからないために、ほとんどぐったり疲れていた。ドアのたたかれた音をきいて、女は、最後の抱擁を振りほどき、さっとベッドからはね起きた。彼もまた、そうしてくれたことをうれしく思った。強くなろうというふたりの意思が、助け合ってのことだった。

ふたりは黙って着物を着た。ふたりは、つとめて平静をよそおい、いろいろ心づくしをかわしながら、同棲生活のしきたりを、その最後まで実行することを忘れなかった。彼は、詰めすぎたトランクをしめるてつだいをしてやりながら、その上に全身の重みをこめてひざをつき、女は、鍵をかけようとじゅうたんの上にうずくまった。やがて、すべての準備が整い、月並な言葉がすべて言いつくされ、あらゆるしぐさがなされたとき、そして彼女が、毛布をまるめ、旅行用のトックをかぶり、ピンでヴェールをとめ、手袋をはめ、手さげかばんのカヴァーのボタンをかけおわったとき、馬車の来るまでにはまだ何分かひまがあった。女は、戸口近くの、低い椅子に腰をおろした。そして、とつぜんぞっと寒さを感じた彼女は、歯ががたがたいわないため、あごをかみしめ、顔を伏せ、両腕で固くひざをだいた。彼のほうでも、いまは何を言うべきか、何をなすべきかもわからずに、そばへよることもためらわれて、両手をだらりとさげたまま、いちばんたけの高いトランクの上に腰をおろした。残酷な、なにかのまえぶれとでもいったような沈黙の中に、しばらくのときが過ぎていった。恐ろしい瞬間。

その恐ろしさは、もしそれらがしばらくして終わることがたしかでなかったら、おそらくふたりは、気を失わずにはいられなかったにちがいない。ラシェルは、スラヴ族の風習のことを思いだした。あちらでは、愛する人が長い旅に出るときには、みんなはその旅人を取りまいて腰をおろし、ちょっとのあいだ黙想するのが習慣なのだ。女は、も少しのところで、それを口に出そうとした。だが、ちゃんとした声が出せるかどうか、もはやそれだけの自信がなかった。

荷物を取りに来たボーイたちの足音が廊下に聞こえたとき、女はキッと顔を上げ、全身を彼のほうへふり向けた。そして、その眼差しに、あまりにもはげしい絶望、恐怖と、愛のしめされているのを見て、彼は思わず、

「ルルー！」とさけんだ。

だが、おりからドアがあけられた。みんなは、どやどや部屋の中にはいって来た。

ラシェルは立ちあがった。彼女は、彼に最後のさよならが言えるため、誰かがいてくれるのを待っていたのだ。女はひと足前へ進んだ。そして、アントワーヌにぴったりからだをよせた。彼は、女をだこうとは思わなかった。だいたが最後、腕を放して、行かせてやれなくなりそうだった。彼は、自分の唇の下に、熱い、やわらかな、しゃくり上げるような最後のキスを感じた。彼には、女がこうつぶやいていることが察しられた。

「さようなら」

女は、すばやくからだをふりほどいた。そして、暗い廊下のほうへひらいた戸口から、ふり返りも

せずに姿を消した。いっぽう、彼は手をきつくにぎりしぼりながら、驚き以外、なんの感覚もなしにつっ立っていた。

女は彼に、船まで見送りにこない約束をさせていた。ただ、ロマニア号が港を出て行くのを見るために、北の防波堤のはずれ、灯台の下に行っていることになっていた。馬車の行ってしまう音がしたとき、彼は、自分の荷物を駅の一時預けに持って行かせようと思ってベルを鳴らした。二度とこの部屋に帰ってきたくなかったからだ。それから彼は、やみの中、おもてへ向かってとび出して行った。

町は、死んでしまっていて、まるで霧にぬれてでもいるようだった。不気味な雲が、まだ町の上を包んでいた。地平のほうには、さらにほかの雲があつまっていた。そして、こうしたあらしの名残りのたがいにひとつになろうとしている雲と雲とのあいだには、ほの明るい空の一片が、いまにも溶けそうになっていた。

アントワーヌは、道もわからずに、ただ歩きつづけていた。彼は街灯の下に立ちどまり、胸の苦しみと戦いながら、町の地図をひらいてみた。つづいて、彼は、霧の中に迷いこみ、たえず波の音と、遠く聞こえる霧笛の音に導かれながら、足のあいだに外套をぴったり吹きつける風を割って、泥でつるつるすべるところを通りぬけ、もろいセメントで固められた波止場まで行き、そこをずんずん歩いて行った。

防波堤は、海の中へ突き出すにつれ、ますます狭くなっていた。右手には、自由な大洋の、大まかな波の響きが聞こえていた。左手には、港にとらわれている水の立てる、ざわついた、ひたひたいう音が聞こえていた。どことも知れず、だが、声はますますはっきりしながら、しゃがれたような霧笛のうなりが、空いっぱいにひろがっていた。ウー！　ウー！　ウー！

十分ばかり、人っ子ひとり出会うことなしに歩いて行ったのち、アントワーヌは、ほとんど自分の頭上のあたりに、灯台の光を見わけた。その光は、霧のため、それまで見えずにいたのだった。彼は防波堤のはずれに来ていた。

彼は、物見台へあがる石段に足をかけようとして立ちどまった。そして、方角をしらべてみようとした。

彼はいま、風と、沖の潮騒のもつれあっている中にただひとりだった。ま正面にあたって、クリーム色のほのかな光が、東であることをしめしていた。そこでは、ほかの人々のため、まさに冬の太陽があがりかけているにちがいなかった。足もとには、花崗岩を刻んだ階段が、目に見えない深淵の中へおりて行っていた。かがみこんでも、防波堤を打つ波の姿は見えなかった。ただ、自分の足もと、そしてきわめて近いところに、その規則正しい息づかいが――力ない嗚咽《おえつ》をともなった長いためいきといったようなその息づかいが聞かれていた。

時は、彼の気のつかないうちに流れていた。次第次第に、より大きな明るみが、どちらを向いても彼を生きた人々の世界から孤立させていた霧の中へさしこんで来た。彼にはいま、南の防波堤の火のきらめいているのが見えた。そして、彼は、こっちの灯台と向こうの灯台とのあいだ、そこに銀色をしている空間から目を放そうとしなかった。というのはその灯台ふたつのあいだから．《彼女》の姿があらわれようとしていたからだった。

とつぜん、彼の向いていたところからずっと左にあたって、ひとつの影が、日の出をしめす暈《かさ》のまった中に浮かび上がった。細長い、たけの高いかたまり。それは、乳色をした空気の中で、見るみるうちに形をとり、大きくなり、ついにひとつの船となった。それは色のない、点々と灯火をつけた、そして、うしろに、暗い、低い、煙の羽飾りをひいた、とても大きな船だった。

ロマニア号は、水道に向かおうとして向きを変えていた。

アントワーヌは、鉄の欄干を握りしめ、顔を雨に打たせながら、機械的に、デッキや、帆柱や、煙突などをしらべていた……おおラシェル！　彼女はそこにいるのだ。わずか百メートルのところに、おそらく彼と同じように、彼のほうへ身をかがめ、見えないながらも彼のほうへ、その涙にくもった両眼をそそいでいるのだ。そしていま、傷ついたふたりの心の底からの恋慕の気持ちは、こうしていま、ふたりをもう一度ひきつけながらも、しかもふたりに、これを最後の別れのしぐさの慰めをさえゆるしてくれていないのだった。ただ、灯台の光の穂先だけが、間をおいた愛撫で、その無表情なかたまりを照らしていた。そして、そのかたまりは、これを最後の、きわめてはかない、たがいに求めあっているふたりの眼差しを、まるでひとつの秘密とでもいったように載せて、はやくも靄の中へ姿を消して行きつつあった。

アントワーヌは、長いことそうしていた。涙一滴ながさず、ぼうぜんとして、帰ることさえ忘れて。いまや霧笛の音になれた耳には、そのつんざくような響きさえも聞こえなかった。

やがて彼は時計を見た。そして、町のほうへもどって行った。彼はこごえていた。足をはやめた彼は、よくも見もせずに、水たまりの中に飛びこんだ。外港の造船工場には、すでに赤っちゃけた電灯がともっていた。どんより鈍い空気の中で、重く槌の音が響いていた。夢のようなひとつの都会が、いま上げ潮時の浜の向こうにそびえていた。何台となくつづくじゃり車は、さけび声、むちのひびきにまもられながら、河原の石の上を進んでいた。そして、アントワーヌには、ああまでシンとしていたあとの喧燥が、なにかしらホッとさせてくれるのだった。彼は、立ちどまると石の上にきしみを立てる車輪の音に聞き入った。

ふと彼は、汽車が十時でなければ出ないことに気がついた。こうして三時間待たなければならないことを、彼はすっかり忘れていた。予定はすべて、ラシェルの出発で終わっていた。これからいったいどうしたものか？　計画のない、たまらなく長く空虚の時——それを思うと、悩みはさらに深くなり、もうこれ以上戦いつづける気力もなく、かたわらのへいによりかかると、涙を流していたのだった。

彼は、自分でも気がつかずに、ふたたびまっすぐに歩き出した。

町は、活気づいていた。ふき上げの水盤のあたりでは、髪をもさもさにした子供たちの群れが、わいわい水の取りあいをやっていた。車道のまんなかを進んで行く何台ものトラックは、やかましい響きを立ててドックのほうへ向かっていた。アントワーヌは、どこへ行くとも知らず、ただいつまでも歩きつづけていた。すっかり朝になりきったとき、彼は、ふたりが泊まったホテルの前の広場にある、花屋の屋台のまえに立っていた。彼はきのう、晩食をたべに行くまえ、ラシェルのため、ひとかかえの菊の花を買いかけた。だが、彼はそのまま思いとまった。それこそ、ふたりとも、どちらから言うともなく、いよいよ別れというその時まで、ふたりの意思をくじけさせ、ふたりがこうまで骨を折っておさえにおさえた悲しみを激発させるしぐさなり、言葉なりを避けようとしていたのとおなじ気持ちによるものだった。

彼はこのとき、ホテルの帳場で、荷物の預かり証を受け取らなければならないことを思いだした。そして彼は、もう一度、あの部屋を、あのベッドを見たいと思った……だが、部屋はすでにふさがっていた。ふたりの泊まり客がはいってしまっていたのだった。

がっかりした彼は、ホテルの前の石段をおり、小さなつじ公園のまわりをうろつき、ふたりがいっしょに歩いた町を見つけ、ナポリの男たちの歌をきいた酒場のほうへの道をたどって行った。そこまで行くと、彼ははいってみたくなった。

彼は、ふたりが食事をしたテーブル、ふたりの給仕をしていたボーイをさがした。だが、ゆうべ見おぼえのあるものといっては何ひとつなかった。ステインド・グラスからさしこむあからさまな光が、夜のあいだの遊び場を、きたない、ひんやりとした、大きな納屋ででもあるかのように思わせていた。テーブルの上には、椅子が積まれていた。楽士の陣どるプラットフォームは――楽譜台はひっくりかえされ、ヴィオロンセロは、黒い箱の中に寝かされ、ピアノの上には、まるで厚皮動物のざらざらしたぬけ殻のようなオイルクロースがかけられ――こうしたほこりの大洋の中に、死骸をのせた筏とでもいったように浮かんでいた。

「失礼します」

ひとりのボーイが、テーブルの下をはきに来たのだ。アントワーヌは、腰掛けの上に両足をのせた。そして、ほうきの動きを見まもっていた。コルクがひとつ、マッチが二本、オレンジの皮がひとつ……いや、みかんの皮だ……さっと風が吹きすぎて、いろいろなくずが吹き散らされた。ボーイがせきをする。アントワーヌはハッと思った。汽車の時刻がすぎてしまったのではないかしら？　彼は立ちあがると、目をあげて時計をさがした。なんたることだ、腰をおろしてから、まだ七分にしかなってはいない。

もう一度腰をおろしたものか？　いや、よそう。彼は外へ出た。そして、汽車に乗ったらこれほど苦しまずにすむだろうと思って、一台のつじ馬車にとびのり、まるで避難所を求めるように駅まで行った。

だが、荷物をチッキ預けにした彼は、さらに待たなければならなかった。一時間以上も待つわけだった。

彼はふたたび歩きだした。そして、プラットフォームにそって、まるで追われるもののように歩いて行った。とまっている機関車の上から自分を見おろしている機関手を見た彼は、じっとその顔を見つめてやりながら《このおれが、いったいどうだっていうんだ？》と思った。ふり返ると、そこには、雑役夫の一群が、じっと彼のあとを見送っていた。

彼はからだがかたくなった。彼はもと来た道を引き返すと、待合室のドアを押し、一脚のひじかけ椅子の上にぐったりしたように腰をおろした。ものものしい、まだ薄暗い部屋の中には、彼のほかに誰もいなかった。ガラス張りのドアにもたれて、ごま塩の襟首の揺れるのを見せたひとりの老婆がうずくまり、ひとりの子供をあやしていた。そして若々しいとさえいえそうな、だがうつろな声をはりあげて、むかつくほどの甘さをもった昔の歌——かつて《おばさん》が、よくジゼールのためにうたってやった歌をうたっていた。

ムール拾いにゃ、ねえ母さん、
あたしこりごりしましたわ……

彼の目は、涙でいっぱいになって来た。もう何ひとつ聞きたくなかった。何ひとつ見たくなかった。彼は、その手の中に顔をかかえた。するとたちまち、ラシェルをぴったりわが身に感じた。ゆうべ、ラシェルの首飾りをいじっていたため、まだ指に残っている竜涎香《りゅうぜんこう》のにおい！　彼は、胸にラシェルの肩の、丸くもりあがった肉を感じ、唇には、ほのぬくい彼女の肌を感じた！……あまりにもとつぜんのことだったため、彼は、顔をぐっとうしろへそらし、手をあけて椅子の両ひじをしっかりつかみ、頭をもたれにあてたまま、じっと身動きせずにいた。そのとき、ラシェルの言葉が思いだされた。《あたし、自殺しようと思ったの……》そうだ、自殺！ それこそは、こうした苦しみの、たったひとつの逃げ道なんだ……計画もなく、ほとんどその気持ちもなしにやってのける自殺。こみ上げてくる苦しみが、いよいよ頂点に達するというその直前、手段をえらばず、ただそれからのがれたい一心での単純な自殺！

彼はぎょっとした。そして、ぴょんとひととびして立ちあがった。やってくるのに気がつかずにいたひとりの男が、彼の腕にさわったのだ。彼はあやうく、反射的に男を突きとばし、たたき倒してやろうとした。

「なんですかい？」と、男が言った。

切符を切ってまわっている、年のいった駅員だった。

「う……パリ行きなんだが？」と、どもりながらアントワーヌが言った。

「三番線」

アントワーヌは、夢遊病者のような目をあけて男をみつめた。そして、ぐったりした足どりで、いそいでホールのほうへ出かけて行った。

「早すぎまさあ。まだ編成もできてませんや！」と、男がどなった。そして、アントワーヌが、出

て行きしなに、足がよろけてドアに打ちあたったのを見た男は、肩をすくめて、
「チェッ！……豪傑ぶってやがる！」と、つぶやくように言ってのけた。

一九二二年七月――一九二三年七月

美しい季節　了

解説

性、この隠微なるもの

夫ジェロームからの電報を受けとったフォンタナン夫人は、夫の急場を救うべく、アムステルダムへと赴く。ジェロームはこともあろうに夫人のいとこノエミと同棲生活を送って六年になるのだが、そのノエミが危篤に陥り、手持ちの金を使いはたしたジェロームは、ぬけぬけと妻に助けを求める電報を打ったのであった。夫人の底ぬけのお人好しな行動には、まずこの女性の性格からくるなだらかな情緒的感覚生活と、それをあやしてくれる新教的な愛の教義の影響がある。「これまでも、神のいぶきが、彼女を、そういつまでも、不安の中に捨てておいたためしは一度もなかった」のである。それがよいほうに働くときには、フォンタナン家のなごやかで愛情ぶかい母子関係を作りだすが、それはまた、あらゆることへのムード的な生ぬるさとなって、夫を増長させ、息子を放縦へと向かわせることにもなる。それに加えて、夫人の夫への甘さは、すでに述べたように、夫の性的魅力に抗し得ないという弱味が彼女にあることからきている。世間によくあることだが、何ひとつ能のない男が女性をとらえて離さないのは、彼が性的魅力と同時に、むしろ自分の弱さを武器として、女性のアニムスに訴えるアニマを、生まれながらにして利用する天賦の才を具えているからである。ひとりで墓地を訪れたときのジェロームの身勝手な思いなどは、まさに弱者の論理と称してよいものだろう。

パリから駆けつけたニコルは、ノエミの娘である。繰り返すが、ニコルがあの暗室で迫ってくるダニエルのなかにジェロームを見たのは、母を誘惑した男の顔を、その男の息子のなかに見てしまったのだった。

そのニコルとフォンタナン夫妻は、ノエミの葬式をすませて、パリへと帰る汽車に乗りこむ。その車中でニコルが見たものは、「顔を外のけしきにふり向けながら、サンドウィッチをかじっている」ジェロームの姿だった。この締めくくりのなにげない一行を、私たちはなんと読んだらよいのだろう?……

妻とともに帰ったジェロームは、すんなりとメーゾン・ラフィットのフォンタナン家の人となる。若い子供たちのなかにまじって、彼は自分の老醜を思い知らされる。しかし、留守中にたまっていた古い手紙のなかから、ヴィクトリーヌ・ル・ガッド(パクメルでダニエルがリュドウィクスンの目の前で奪ったあのリネット)が二年まえに出した手紙を発見する。ジェロームの子を宿し、経済的援助を求めていた頃の手紙である。

パリに出て、娼家で働いているリネットを捜しあてたジェロームは、金を与えて救い出し、すぐに故郷のペロス・ギレックに帰るよう取り計らい、年金を送る約束もした。この善行をやってのけた彼は、「おれは他人が思っている以上によい人間なのだ」と心に繰り返しながら、その指は、抱きかかえたリネットのスカートのホックを無意識のうちにはずしているのだった。

汽車が動き出したとき、リネットはドアから身を乗りだして「ダニエルさんに……よろしく……」と叫ぶ。ジェロームはメーゾン・ラフィットへ帰って、妻に何もかもを告白し、リネットへの年金の送金を妻に頼もうと思う……女性を食いものにする天才的放蕩児の面目ここにきわまる、という感がある。リネットは、ほかならぬノエミがノルマンディから連れてきた女中だったのである。

おとなたちの堕落した性愛生活と烈しい対照をみせるのが、ジャックとジェンニーのどこまで行っても固苦しさのとれない精神的やりとりである。ふたりの会話は「最初から大まじめなもの」にしかならない。そしてそれは、まずダニエル批判になってゆく。ダニエルの束縛のない生活を「不純」とみることで、ふたりの意見は一致した。「あらゆる肉欲、それは、すべて不純なものなのだ」。

ふたりは散歩中に老犬が自動車にひき殺される現場を見てしまう。『灰色のノート』での馬の惨死の場面を思い出そう。ここでジャックはジェンニーに、「一番悲痛なことは、生から死への引き移り——あの不可解な転落にある」と言って、臨終の死苦への恐怖を語り、「ぼくの考えの大部分は、ぼくをその死という考えにみちびいているんだ」と言う。これは若い男女のそぞろ歩きにふさわしい話題ではない。しかしジェンニーは、「この人、あたしの考えていたような人ではなかった……あたしたち、なんて似ているんだろう」と思うのである。

ジャックは自分の文学的な情熱について語り、またそうしたものへの軽蔑を語る。そしてとりわけ、エコル・ノルマルに合格したこと、エコル・ノルマルの連中に審判されたことを恥ずかしく思う、と吐きだす。「ああ、ぼくは、やつらのすべてを軽蔑する、そしてやつらのあいだにいるこのぼく自身を、さらに軽蔑する！……これらすべてを許すことができない！」というジャックの言葉は、彼が生まれながらの反抗児であり、彼が嫌悪しているものが、既成秩序、伝統的文化、文明社会機構のすべてであることを示している。

ジャックの死の恐怖は、死にせきとめられる人間存在の不条理性の感得に通じるものであり、彼が既成社会のすべてに反抗するというのは、生来の鋭敏な感覚が、西欧文明社会の矛盾を無意識のうちに嗅ぎつけていたことを意味している。

十九世紀末から、「良き時代《ベル・エポック》」という物質文明繁栄のなかで、ヨーロッパの精神文化は危機的な昏迷に傾いていた。それは、西欧精神の支柱となってきたキリスト教という宗教の権威が揺らいできたため、西欧人の伝統的な人間中心のヒューマニズムが不確実なものとなり、同時に、資本主義経済社会の発展をみた各国の膨張力の衝突が、いずれヨーロッパを騒乱の場とすることにより、文明が文明を否定するという事態を招くこと必至、という予感が支配するにいたったからである。現にキリスト教徒同士がたがいに殺戮と破壊に狂奔する第一次大戦が、もう目の前に来ていたのである。時代感覚の鋭い人々の心のなかで、ヨーロッパの優越性が疑わしいものとなり、したがって文明そのものへの信頼が崩れてゆきつつあった。

このような予感を本能的に嗅ぎつけているジャックが、既成社会の歯車の一つである最高学府への入学をいさぎよしとせず、エリート・コースを歩むことを拒否するのは自然のことだったのだ。彼がかつて、カトリック社会を代表するような父から離反し、管理的体質をむき出しにした中学校の教師たちから逃げだしたのも、幼いとはいえ、彼が生まれながらにして、純粋な気性、批判者としての素質、を具えた少年だったからである。

このような人間は、生の不条理を乗り超えるような烈しい行動を欲し、その行動は人間の尊厳を圧迫するものへの反抗となる。しかし、それはまだジャックにもはっきりとは意識されていない。ただ「彼らにこのぼくのやろうとすることがわかったら……」とジェンニーに告げているのは、その予感と衝動を、漠とながら、正直に述べているのである。したがって、文学への関心や創作への意欲も、ジャックの精神を完全に納得させるものとはならず、文学への情熱を語ると同時に、それを軽蔑し、書物を愛すると同時に、それを嫌悪するような言辞を吐いてしまう。

このような人間であるジャックの愛は、けっしてジェンニーとの肉体的触れあいを求める方向へとは走らない。かつてあのリスベットとの肉体の接触のあと、精神的なものを救うために、水を浴びてその跡を洗い流した彼である。しかし彼の若い心は、ジェンニーへの愛でふくれあがる。このとき彼に最もふさわしい愛の動作は、月光に輝く壁の上にくっきりと描き出された「なつかしい人の顔の影」にキスすることであった……

そして当然のように、ジャックに最もよく似た乙女であるジェンニーは、「ぐっと身をひいて」自分の影を壁面からむしり取り、恐怖におののいて逃げ出さずにはいられない。それは、自分自身にたいする恐怖の感情からであり、愛を反発でしか表わせない乙女心のおののきからであろう。

ジャックとジェンニーの未熟な愛と対照をなすのが、アントワーヌとラシェルの霊肉一致の熟れた愛情生活である。アントワーヌの社会的地位などを意にも介せず、人間としての対等な立場で彼に接するラシェルを愛するためには（ラシェルはしばしばアントワーヌが医師であることさえ忘れてしまう）、アントワーヌはブルジョワ家庭に育ったエリートという、特権的な台座から降りざるを得ない。彼のひげのことが、なぜ幾度も述べられているのか。彼がひげを剃りおとして、それまで隠していた口元を平気で見せるようになったことが、それまでとりすましていた彼の意識の変革を象徴しているのである。

霊肉一致の愛というのは、アントワーヌがラシェルの肉体をこの上なく豊かな美しいものとして熱愛し、しかも、女性を見くだすダニエルの色事とは異なって、まったく別世界の人間であるラシェルを理解しようとし、その精神との合一を希んでいるからである。この恋はアントワーヌに人間の複雑さを教え、人を愛することの喜びを知らしめて、彼の人間性を豊かなものとしてくれる。彼は生涯、ラシェルが与えてくれた貴重な温もりを忘れることはないであろう。

ラシェルはアントワーヌに、「私は自由な女」と繰り返し宣言していた。ところでラシェルの自由とは、どのような性質のものだったのか？　前巻ではそれを、フランス社会の因襲などにとらわれぬ自由奔放さ、とだけ述べておいた。しかしそれは、この巻でラシェルの秘密が少しずつアントワーヌのまえにあらわになってゆくにつれて、とてもアントワーヌなどには想像もつかぬ特殊な世界の住人としての自由だったことが解ってくる。上流家庭で行儀よく育ったアントワーヌは、奇怪な過去をもつこの遍歴の女のまえでは、ただの清潔なお坊っちゃんでしかなかったのだ。それだけにいっそうアントワーヌにとってラシェルとの恋は、革命的な体験としての意義があったことになる。

ラシェルの父はユダヤ人でオペラ座の衣裳師をしていたことがあり、母は精神病院に入れられていた（彼女に感じられる多少の異常性愛的傾向は、遺伝のせいかもしれない）。ラシェルはオペラ座の踊り子としての修業をしたこともあるが、足を痛めて六年まえにそれをやめ、イルシュという、曲馬団をやったり鉄砲商人になったりする恐ろしい男の情婦になってから、彼女はアフリカ生活を体験した。

ラシェルは、アフリカの黒人たちのなかでの自由で自然な性生活を、最高の快楽として讃美する。アフリカでは、性の行為も「どんな種類の考えもけっしてはいりこんできていない……沈黙の行ない――神聖で、同時に自然な行ない」なのであり、「生活それ自身とおなじほど正当なもの」なのである。そして黒人の肌は、「くだものの皮とでもいったようなさわやかさ」をもち、愛し合う相手としては、男女の区別さえ不必要かとさえみえる。「つるつるした……しかも燃えるような」黒人の肌を忘れかねるラシェルは、アントワーヌといっしょに観たアフリカ映画の黒人たちに、異常な昂奮を示す……

アントワーヌは「奇怪なラシェルの身の上話をきかされて」、ただ驚き、フランスの土地に自分を結びつけている鎖のことを思う。その奇怪な身の上話に出てくるイルシュというラシェルの情夫は、一種の怪物である。この男はかつて、自分の娘クララと性的関係をつづけていた。クララはその近親相姦の地獄から抜け出すために、ラシェルの兄のアーロンと結婚する気になった。しかしクララはなぜか新婚旅行に出かけたイタリアの湖水に、父を呼びよせたのであった。クララとその父のいまわしい関係を知ったアーロンは、自殺するためにひとり湖水に舟を出そうとしたが、クララも一緒にのりこんできて、ふたりで沖に出る。やがてふたりの死体がおなじところで発見されることになった（クララの性は、死によってしか救われなかったのであろう）。

兄を死に追いやった、そのようなイルシュとつながっているラシェルも異様であるが、イルシュから来いという命令がくれば、ラシェルは彼のもとに帰って行かねばならぬことになっているというのが、イルシュが持つ恐ろしい魔力を感じさせる。ラシェルも死んだクララも、イルシュからは逃れられぬ運命にあったのである。この意味では、ラシェルも自由ではない。女に甘えるあのジェロームとは正反対の荒あらしい強制力で、イルシュは女を支配する恐ろしい力を持っている。彼にはサディストらしい複雑な振舞いが幾個所かで暗示されているが、イルシュの魔力はやはり隠秘で不可解なもの、としておくほかはない。この巻では、隠微な人間の性が深く追究されているのである。

そのイルシュがアフリカでラシェルを呼んでいた。彼女は行かなければならない。というより、彼女はその呼び声を待っていたのだった。

ラシェルはそのことをアントワーヌに隠したまま、彼をノルマンディの子供の墓まいりに連れてゆく。オペラ座で踊っていたころラシェルは、いつも彼女をなぐってばかりいるテノール歌手ズュッコの子を生んだ。ノルマンディの片田舎に里子に出したその子は死んでしまったのであった。

恐ろしい男のもとへと旅立つまえに、ラシェルは子供への別れを告げに行くのだが、その子供の墓に愛《いと》しい男にもまいってほしいと思う女心……やがて最後のどたん場で、ラシェルはアントワーヌに何もかもを話して、別れを告げる。「胸に浮かぶのはあの人のことだけ！　あたし、待っていたの、いやというほど待っていたの。ところがとうとう、あたしにこいと言って来た！」……

ラシェルはル・アーヴルの港からカサブランカにむけて旅立っていった。アントワーヌは絶望のあまり、一瞬自殺の思いに駆られる。……しかし、ラシェルは、所詮アントワーヌのもとにいつまでもいてくれる女ではなかったのだ……アントワーヌはきっと立ち直るだろう。ラシェルとの幸福の日々をけっして忘れることはせずに……重要なこと、それは物に動ぜぬ男アントワーヌが、ラシェルとの別れによって、悲しみを理解できる人間になったことである。

店村新次

本書は2009年刊行の『チボー家の人々 4』第12刷をもとにオンデマンド印刷・製本で製作されています。

訳者：
山内義雄
（1894 ～ 1973）
1950年「チボー家の人々」により芸術院賞受賞
訳書マルタン・デュ・ガール「ジャン・バロワ」
　「チボー家のジャック」他多数

解説者：
店村新次（たなむら　しんじ）
（1919 ～ 1991）
同志社大学名誉教授，文学博士
主著「ロジェ・マルタン・デュ・ガール研究」

白水uブックス　41

チボー家の人々　4　美しい季節（Ⅱ）

訳　者©山　内《やまのうち》　義《よし》　雄《お》
発行者　岩堀雅己
発行所　株式会社 白水社
東京都千代田区神田小川町 3-24
振替　00190-5-33228　〒 101-0052
電話（03）3291-7811（営業部）
　　（03）3291-7821（編集部）
www.hakusuisha.co.jp

1984年 3 月 20 日第 1 刷発行
2023年 11 月 15 日第 20 刷発行
表紙印刷　クリエイティブ弥那
印刷・製本　大日本印刷株式会社
Printed in Japan

ISBN978-4-560-07041-3

Roger Martin Du Gard: *Les THIBAULT*